D1589780

ÉCHANGE STANDARD

*OUVRAGES DE
ROBERT SHECKLEY
DANS PRESSES POCKET*

OMÉGA
LE TEMPS MEURTRIER
LA DIMENSION DES MIRACLES
LIVRE D'OR DE ROBERT SHECKLEY
par Michel Demuth

SCIENCE-FICTION

Collection dirigée par Jacques Goimard

ROBERT SHECKLEY

ÉCHANGE STANDARD

LAFFONT

Titre original :

MINDS WAP

Traduit de l'américain par Guy ABADIA

© *Robert Sheckley, 1966 et 1968.*
©*Éditions Robert Laffont, S.A., 1973, pour la traduction française.*

ISBN 2-266-00539-1

1

EN parcourant les petites annonces de la *Stanhope Gazette*, Marvin Flynn tomba en arrêt devant les lignes suivantes :

Mons. orig. de Mars, tranquille, soigneux, cultivé, échang. corps avec mons. de la Terre caract. équiv. 1 août-1 sept. Réf. prod. Contr. notarié.

Cette offre banale eut pour effet d'accélérer notablement le pouls de Flynn. Changer de corps avec un Martien... l'idée était excitante, bien qu'elle lui causât une certaine répugnance. On ne pouvait pas lui demander d'accepter de gaieté de cœur l'idée qu'un vieux Martien bouffeur de sable allait loger à l'intérieur de sa tête, actionnant ses bras et ses jambes, regardant par ses yeux et écoutant par ses oreilles. Mais en contrepartie de ces inconvénients, lui, Marvin Flynn, pourrait enfin voir Mars. Et de la seule façon vraiment valable : à travers les sens d'un autochtone.

De même que certains aiment collectionner les tableaux, d'autres les livres, d'autres encore les femmes, Marvin Flynn voulait acquérir la substance de toutes ces choses en voyageant. Mais cette passion qu'il avait — à peu près la seule — était déplorablement insatisfaite. Il était né et il avait grandi à Stanhope, dans l'État de New York. Géographiquement, son village était à moins de cinq cents kilomètres de la ville de New York. Mais spirituellement et moralement, les deux endroits étaient distants de plus d'un siècle l'un de l'autre.

Stanhope était une plaisante agglomération rurale située sur les contreforts des Adirondaks, bordée de vergers et de vallons verdoyants où paissaient des vaches brunes. Bucolique de vocation, Stanhope était indiscutablement accrochée au passé. Aimablement, mais non sans un soupçon de fermeté, la petite ville gardait ses distances par rapport à la grande métropole du sud au cœur de pierre. La ligne de métro express qui partait de la Septième Avenue avait poussé ses tranchées jusqu'à Kingston, mais pas plus haut vers le nord. D'énormes autoroutes déployaient leurs tentacules de béton sur toute la campagne environnante, mais n'avaient pas pu absorber la Grand-Rue bordée d'ormes de Stanhope. D'autres communes entretenaient une aire de lancement pour fusées ; Stanhope se contentait d'un bon vieux terrain d'aviation, avec un service de jets trois fois par semaine. (Souvent, la nuit, allongé dans son lit, Marvin avait écouté ce bruit poignant d'une Amérique rurale en train de disparaître, la plainte solitaire d'un avion à réaction.)

Stanhope était satisfaite d'elle-même et le reste du monde semblait satisfait de Stanhope et désireux de lui laisser son rêve romantique d'une époque moins pressée. La seule personne que cet état de choses ne satisfaisait pas était Marvin Flynn.

Il avait fait tous les voyages traditionnels, vu les choses habituelles. Comme tout le monde, il avait passé maints week-ends dans les capitales européennes, fait de la nage sous-marine dans la ville engloutie de Miami, admiré les jardins suspendus de Londres et fait ses dévotions dans le temple bâbiste de Haïfa. Lors de vacances plus longues, il avait traversé à pied la Terre de Marie Byrd, exploré les régions inférieures de la Forêt des Pluies d'Ituri, parcouru le Sinkiang à dos de chameau, et même vécu pendant plusieurs semaines à Lhassa, capitale artistique du monde.

8

Mais tous ces voyages n'avaient que peu de valeur à ses yeux ; ils étaient le lot du touriste ordinaire, à la portée de n'importe quel vacancier. Au lieu de se réjouir de ce qu'il avait, Flynn se lamentait sur ce qu'il n'avait pas. Il voulait voyager pour de bon, et pour lui cela signifiait quitter la Terre.

A première vue, ce n'était pas demander tellement ; et pourtant, il n'était même pas allé sur la Lune. En fin de compte, c'était une question de budget. Les voyages interstellaires étaient ruineux ; pratiquement, ils étaient réservés aux riches, ou aux colons et aux administrateurs. Ils étaient tout simplement hors de question pour le commun des mortels. A moins, naturellement, que l'on ne fasse appel aux services de Psychotroc.

Marvin Flynn, avec son conservatisme inné de petit provincial, avait toujours évité d'envisager cette solution logique mais inquiétante. Jusqu'à présent.

Il avait tenté de s'accommoder de sa situation dans la vie et des possibilités tout à fait appréciables que cette situation lui offrait. Après tout, il était libre, il avait la peau grise et trente-deux ans (un peu moins en réalité). Il était bien de sa personne, grand, large d'épaules, la moustache soignée et le regard doux. Il jouissait d'une bonne santé et d'une grande intelligence. Il savait mélanger les cocktails et ne laissait pas indifférent le sexe faible. Il avait reçu une instruction normale : école primaire puis secondaire, huit années d'université plus quatre de spécialisation. Il était parfaitement formé pour son travail à la Reyck-Peters Corporation, où il fluoroscopait des jouets de plastique avant de les soumettre à une analyse de résistance pour déterminer leur coefficient de microcontraction, de porosité et d'usure. Ce n'était peut-être pas ce qu'il y avait de plus important au monde, mais tout le monde ne peut pas être roi ou pilote d'astronef. Il avait tout de même un métier à responsabilités, surtout si l'on considère l'importance des jouets dans ce monde et la nature vitale de la tâche qui consiste à alléger un peu les frustrations enfantines.

Marvin n'ignorait rien de tout cela ; pourtant il restait insatisfait. En vain il était allé voir le Conseiller de son quartier. Cet homme fort aimable avait essayé de l'aider en lui faisant une Analyse Situationnelle, mais Marvin n'avait pas eu la réaction adéquate. Il voulait voyager ; il refusait de regarder en face les implications cachées de son désir, et n'acceptait aucun produit de substitution.

Relisant l'annonce banale semblable à des milliers d'autres et pourtant unique en sa particularité (en cela que c'était celle qu'il était en train de lire en ce moment), Marvin éprouva une étrange sensation au creux de la gorge. Changer de corps avec un Martien... visiter Mars, voir le Tertre du Roi des Sables, parcourir la splendeur sonore de la Plaie, écouter les sables chromatiques de la Grande Mer Sèche...

Il lui était souvent arrivé de rêver. Mais cette fois-ci c'était différent. L'étrange sensation qu'il avait à la gorge attestait qu'une décision était en gestation. Sagement, il n'essaya pas de forcer les choses. Il mit simplement sa casquette et descendit au Drugstore de Stanhope.

2

Comme il s'y attendait, son meilleur copain, Billy Hake, était assis au comptoir sur un tabouret en train de siroter un hallucinogène léger connu sous le nom de L.S.D. frappé.

— Comment va la santé, pocheté ? demanda Hake dans le style à la mode.

— Comme d'habitude, Anasphalude, fut la réponse qui s'imposait.

— Du koomen ta de la klipje ? demanda Billy. (Le jargon hispano-afrikander faisait sensation cette année.)

— Ja, Mijnheer, répondit Marvin avec un peu de lourdeur. Il n'avait pas l'esprit de repartie aujourd'hui.

Billy avait perçu la nuance de mécontentement. Il haussa un sourcil perplexe, replia son James Joyce en bandes dessinées, se fourra une Keen-Smoke dans la bouche, mordit dedans pour libérer les vapeurs verdâtres odorantes et demanda :

— Toi pas dans assiette toi ?

La question était bizarrement tournée, mais apparemment bien intentionnée.

Marvin s'assit à côté de Billy. Le cœur gros, mais ne voulant pas détruire la bonne humeur de son ami, il leva les deux bras et continua la conversation dans le Langage des Signes des Indiens des Plaines. (Beaucoup de jeunes intellectuels étaient encore sous l'influence de la sensationnelle production en Projectoscope de l'année dernière, *Dialogue Dakota*, avec Bjorn Rakradish dans le rôle de Cheval fou et Milovar Slavovivowitz dans celui de Nuage rouge, interprété entièrement par gestes.) Il mima, avec le plus grand sérieux, le cœur-qui-se-brise, le cheval-qui-erre, le soleil-qui-ne-brille-plus et la lune-qui-ne-peut-plus-se-lever.

Il fut interrompu par Mr. Bigelow, le patron du Drugstore. C'était un homme entre deux âges (il avait soixante-quatorze ans), au sommet du crâne déjà dégarni et avec un rien de bedaine, mais qui affectait des manières de jeune. Il s'adressa à Marvin en ces termes :

— Eh, Mijnheer, querenzie tomar la klopje inmensa de la cabeza vefrouvens in forma de ein skoboldash sundae ?

Typique en cela de sa génération, Mr. Bigelow avait tendance à suremployer le jargon des jeunes, perdant ainsi

11

tout effet comique à l'exception bien sûr du pathétiquement involontaire.

— Schnell, dit Marvin en le rembarrant avec l'insouciante cruauté de la jeunesse.

— Ça va, ça va, grogna Mr. Bigelow en s'éloignant d'une démarche affectée qui venait tout droit de l'émission de variétés : *Imitation de la Vie*.

Billy paraissait très gêné de l'humeur chagrine de son copain. Il avait trente-trois ans, une année de plus que Marvin, et c'était presque un homme déjà. Il gagnait bien sa vie comme contremaître à la Chaîne de montage n° 23 de l'usine Paterson. Il avait gardé des manières d'adolescent, bien sûr, mais il savait que son âge lui conférait certaines obligations. Il court-circuita donc ses craintes et demanda en clair :

— Marvin... qu'est-ce qu'il y a ?

Marvin haussa les épaules, plissa les lèvres et tambourina du bout des doigts sur le comptoir en disant :

— Oiga, hombre, ein Kleinnachtmusik es demasiado, nicht wahr ?

— Parle bien, dit Billy avec une dignité tranquille qui n'était pas de son âge.

— Excuse-moi, fit Marvin en clair. C'est seulement que... oh, Billy, j'ai tellement envie de voyager !

Billy hocha la tête. Il connaissait l'obsession de son ami.

— Bien sûr, dit-il. Moi aussi.

— Mais pas comme moi, Billy. Je ne peux plus tenir.

Le skoboldash sundae arriva. Marvin l'ignora, et ouvrit son cœur à son meilleur ami :

— Mira, Billy, c'est plus fort que moi, ça me prend là chaque fois que je pense à Mars ou à Vénus, ou à des endroits vraiment différents comme Aldébaran ou Antarès... Je ne sais pas comment t'expliquer, je ne peux pas m'empêcher d'y penser sans cesse... l'Océan qui parle de Procyon IV, ou les hominoïdes tripartites d'Allua II... j'ai l'impression que je mourrai si je ne vais pas voir tous ces endroits.

12

— Je comprends, lui dit son ami. Moi aussi j'aimerais voir tout ça.

— Non, tu ne peux pas comprendre; je ne veux pas juste les voir... c'est... c'est pire que ça... je ne peux pas me faire à l'idée de passer le reste de ma vie à Stanhope, même si on se marre bien, même si j'ai un bon boulot et si je sors avec les filles les plus guapas... je ne peux pas me marier et élever des gosses et... il faut qu'il y ait autre chose!

Puis Marvin se perdit dans des incohérences d'adolescent. Mais une partie de ses sentiments avait filtré à travers le torrent bouillonnant de ses paroles, et son ami hocha gravement la tête.

— Marvin, dit-il lentement, je te lis cinq sur cinq, parole d'honneur. Mais tu sais bien que les voyages interplanétaires coûtent une fortune. Et pour ce qui est des balades interstellaires, elles sont tout simplement inenvisageables.

— Pas forcément, fit Marvin. En utilisant *Psychotroc*...

— Marvin! Tu ne peux pas faire ça!

— Pourquoi pas? Par le Christo malherido, c'est bien ce que j'ai l'intention de faire!

Ils restèrent tous les deux pantelants. Il n'était pas dans les habitudes de Marvin de jurer de la sorte, et son ami pouvait juger de l'état de tension dans lequel il se trouvait pour avoir recours à une telle expression, même codée. Quant à Marvin, après avoir dit ce qu'il avait dit, il réalisa vraiment la nature implacable de sa décision. Et l'ayant exprimée en paroles, il trouva moins difficile d'envisager le stade suivant, celui qui consistait à passer à l'action.

— Tu ne peux pas! répéta Billy. Psychotroc est trop... dégoûtant!

— Dégoûtant qui mal y pense, Cabrón.

— Non, mais sérieusement. Tu accepterais qu'un vieux Martien bouffeur de sable s'installe à l'intérieur de ta tête, actionne tes bras et tes jambes, regarde par tes yeux, te *touche* et même peut-être...

Marvin l'interrompit avant qu'il ait pu dire quelque chose de vraiment désobligeant.

— Mira, dit-il. Recuerda que je serai dans son corps, moi, sur Mars, et qu'il éprouvera les mêmes désagréments.

— Les Martiens ne sont pas sensibles à ce genre de choses, dit Billy.

— Tu es injuste, reprocha Marvin.

Quoique plus jeune que son ami, il était plus mûr sous bien des aspects. Il avait été l'un des meilleurs élèves au cours d'Ethique interstellaire comparée, et son désir intense de voir du pays l'avait rendu moins provincial dans ses attitudes, plus préparé à admettre le point de vue d'autres créatures, que son ami. Depuis l'âge de douze ans, où il avait appris à lire, Marvin avait étudié les us et coutumes d'un grand nombre de races différentes de la Galaxie. Toujours il s'était efforcé de considérer ces créatures à travers leur propre vision et de comprendre leurs motivations en fonction de leur propre psychologie. De plus, il s'était classé dans la tranche des 95 % en Empathie projective, établissant ainsi ses capacités potentielles dans le domaine dès relations avec les extraterrestres. En un mot, il était aussi préparé à voyager qu'il est possible de l'être à un jeune homme qui a passé toute sa vie dans une petite ville de province de la Terre.

Cet après-midi-là, dans la solitude de sa mansarde, Marvin ouvrit son encyclopédie. C'était son compagnon fidèle depuis le jour où ses parents la lui avaient achetée lorsqu'il avait neuf ans. Il régla le niveau de compréhension sur « simple », la vitesse de défilement sur « rapide », pianota ses questions et s'installa confortablement tandis que les petites lumières rouges et vertes s'allumaient et s'éteignaient.

— Bonjour mes amis, fit le magnétophone de sa voix enthousiaste et fruitée. Aujourd'hui... nous allons parler de Psychotroc.

Suivit une récapitulation historique à laquelle Marvin ne prêta pas attention. Son intérêt resurgit lorsque l'appareil enchaîna :

— Il nous faut donc considérer notre amie Psyché comme une sorte d'entité électroforme, ou peut-être même sous-électroforme. Vous vous souvenez sans doute que lors d'une précédente causerie nous avions émis l'hypothèse que la psyché était au départ une projection de nos fonctions physiologiques et que son évolution l'a conduite à devenir finalement une entité quasi indépendante. Vous savez ce que ça signifie, les amis. Ça signifie que vous avez une petite bonne femme dans la tête, ou bien c'est tout comme. Et que résulte-t-il de cette situation compliquée ? Eh bien, il en résulte ce que l'on pourrait appeler en quelque sorte une symbiose entre le corps et l'esprit, mais où Mademoiselle Psyché serait plutôt encline à une forme de parasitisme. Ce qui n'empêche pas — en théorie — que l'un peut exister sans l'autre. Du moins, c'est ce que nos Eminences grises nous affirment.

Marvin sauta un passage.

— Quant à la projection de la psyché... eh bien, pensez à un ballon qu'on lance...

« ... le mental en physique, et vice versa. En dernière analyse, l'un est une forme de l'autre, exactement comme l'énergie et la matière. Naturellement, il nous reste encore à découvrir...

« ... mais bien sûr, la connaissance que nous avons de ces phénomènes est encore toute pragmatique. Arrêtons-nous un bref instant sur la notion de Modification agglutinante établie par Van Voorhes, ainsi que sur la théorie des Relatifs absolus de l'Université de Lagos. Naturellement, toutes ces théories soulèvent plus de questions qu'elles ne fournissent de réponses, mais...

« ... de telle sorte que l'opération n'est rendue possible que par l'absence pour le moins surprenante de toute réaction immunologique.

« La méthode utilisée par Psychotroc fait appel à des techniques hypno-mécaniques telles que la relaxation induite, la fixation ponctuelle et l'emploi d'une substance psycho-positive, comme la Williamite, faisant fonction d'agent intensificateur et focalisateur. La programmation de réaction se fait en...

« ... une fois qu'on a acquis une certaine expérience, bien sûr, on peut psychotroquer sans l'aide d'aucun moyen mécanique, en utilisant généralement la vue comme focalisateur... »

Marvin éteignit l'encyclopédie en songeant à l'espace et à ses innombrables planètes, et aux créatures exotiques qui les peuplaient. Il songea à Psychotroc, et se dit : « Demain, je pourrais être sur Mars. Demain si je voulais je serais un Martien... »

Il bondit sur ses pieds :

— Par la barbe du Saint-Esprit ! s'écria-t-il en frappant de son poing droit la paume de sa main gauche. Je le ferai !

L'étrange alchimie de la décision l'avait métamorphosé. Sans plus d'hésitation, il fit une petite valise, laissa un mot pour ses parents et alla prendre le jet de New York.

3

Dès qu'il arriva à New York, Marvin se rendit directement à la maison de courtage Otis, Blanders & Klent. On le dirigea vers le bureau de Mr. Blanders, personnage grand et athlétique, dans la fleur de l'âge avec ses soixante-trois ans et associé à part entière dans la compagnie. Marvin exposa le motif de sa visite.

— Vous faites naturellement allusion, lui dit Mr. Blanders, à notre annonce parue vendredi dernier. Le monsieur de Mars en question s'appelle Ze Kraggash, et il est tout particulièrement recommandé par les recteurs de l'Université de Skern.

— A quoi ressemble-t-il ? demanda Marvin.

— Voyez vous-même, fit Blanders. Il montra à Marvin la photo d'un être au torse en forme de barrique, aux jambes filiformes, aux bras à peine plus gros et la tête petite ornée d'un nez démesuré. On voyait Kraggash enfoncé dans la boue jusqu'à mi-genoux, en train de faire signe à quelqu'un. Imprimés au bas de la photographie on lisait ces mots : « Souvenir de Boue-les-Bains, le lieu de villégiature le plus prisé de Mars, ouvert toute l'année, le plus fort degré d'humidité de la planète. »

— Beau corps, commenta Mr. Blanders.

Marvin hocha la tête, bien qu'il se sentît incapable de distinguer Kraggash de n'importe quel autre Martien.

— Il habite Wagomstamk, qui se trouve en bordure du Désert des Disparitions dans la Nouvelle Mars du Sud, poursuivit Blanders. C'est une région touristique très en vogue, comme vous le savez sans doute. Mr. Kraggash désire voyager comme vous et souhaite trouver un corps qui lui convienne. Il nous laisse l'entière responsabilité du choix et ne stipule rien d'autre qu'une parfaite santé physique et mentale.

— Eh bien, dit Marvin, je ne voudrais pas me vanter mais j'ai toujours été considéré comme étant en bonne santé.

— Je l'ai vu tout de suite, dit Mr. Blanders. Ce n'est qu'une impression, n'est-ce pas, ou peut-être une intuition, mais depuis bientôt trente ans que je suis en contact avec le public j'ai appris à me fier à mes impressions. C'est sur cette base uniquement que j'ai refusé les trois derniers candidats qui se sont présentés pour le Troc qui nous intéresse.

Mr. Blanders semblait si fier de ce qu'il avait fait que Marvin se sentit obligé de demander :

— Ah, oui vraiment ?

— Assurément. Vous ne pouvez pas vous faire une idée du nombre d'individus malhonnêtes à qui on peut avoir affaire dans ce métier. Névrosés à la recherche de sensations horribles et illicites, criminels essayant d'échapper aux atteintes de leurs juridictions, instables mentaux fuyant leurs problèmes psychiques internes, et j'en passe. Je sais les repérer au premier coup d'œil.

— J'espère que je n'entre dans aucune de ces catégories, fit Marvin avec un petit rire embarrassé.

— Je puis dire tout de suite que ce n'est pas le cas. Vous m'apparaissez comme un jeune homme extrêmement normal, excessivement normal, même, si la chose est possible. Vous avez été mordu par le démon du voyage, ce qui correspond tout à fait à votre génération et équivaut à tomber amoureux, ou mener un combat pour un idéal, ou se déclarer désillusionné, ou toute autre attitude commune chez les jeunes. Il est heureux que vous ayez eu ou la chance ou le bon sens inné de vous adresser à nous, qui sommes la plus ancienne maison de courtage sur le marché du Troc et certainement la plus digne de votre confiance, plutôt qu'à l'un quelconque de nos concurrents moins scrupuleux ou, pire, au Marché libre.

Marvin ignorait pratiquement tout du Marché libre, mais il préféra s'abstenir de poser une question plutôt que de révéler son ignorance.

— Voyons, poursuivit Mr. Blanders. Nous avons un certain nombre de formalités à remplir avant de pouvoir satisfaire votre demande.

— Formalités ?

— Assurément. Tout d'abord, vous devrez vous soumettre à un examen complet qui établira un bilan opérationnel de votre état physique, mental et moral. C'est une précaution indispensable dans la mesure où nos échanges de corps sont faits sur la base de la plus stricte égalité réciproque. Vous n'aimeriez certainement pas vous retrouver bloqué dans le corps d'un Martien souffrant de la peste des sables ou du syndrome des tunnels. Et lui de

18

son côté ne serait pas content si vous étiez rachitique ou paranoïaque. Notre charte nous oblige à nous assurer dans toute la mesure du possible de la santé et de l'équilibre des Troqueurs, et à les informer de toute différence que nous pourrions constater entre les conditions réelles et celles qui ont fait l'objet d'une publicité.

— Je vois, dit Marvin. Et après cela, que se passe-t-il ?

— Ensuite, ce monsieur martien et vous signerez une Clause de dommage réciproque par laquelle vous vous engagez, en cas de dégradation volontaire ou involontaire, y compris les cas de force majeure, du corps qui vous est confié, premièrement à verser des dommages et intérêts selon les taux établis par la commission interstellaire ad hoc, deuxièmement à accepter que lesdites dégradations soient exercées pleinement et réciproquement sur votre propre personne conformément à la loi du talion.

— Hein ? fit Marvin.

— Œil pour œil, dent pour dent, expliqua Mr. Blanders. C'est d'une simplicité enfantine. Supposons que vous cassiez une jambe à votre corps martien le dernier jour d'Occupation. Vous aurez la douleur, c'est certain, mais pas les conséquences ultérieures auxquelles vous pourrez échapper en regagnant votre corps intact. Vous avouerez que ce n'est pas équitable. Pourquoi échapperiez-vous aux conséquences de votre accident ? Pourquoi quelqu'un d'autre souffrirait-il à votre place ? Dans l'intérêt de la justice, la loi exige dans ce cas qu'au moment de la réintégration dans votre corps originel votre propre jambe soit cassée de la façon la plus scientifique et la moins douloureuse possible.

— Même si c'était un accident au départ ?

— Particulièrement s'il s'agissait d'un accident. Nous avons constaté que la Clause de dommage réciproque avait considérablement réduit le nombre d'accidents de ce genre.

— Tout cela commence à me paraître assez dangereux, fit Marvin.

— Toute action contient un certain élément de danger. Mais les risques encourus à l'occasion d'un Echange standard sont statistiquement négligeables, à condition que vous restiez en dehors du Monde Biscornu.

— Je ne sais pas grand-chose sur le Monde Biscornu, avoua Marvin.

— Moi non plus, fit Blanders. C'est pourquoi il vaut mieux l'éviter. C'est raisonnable, n'est-ce pas ?

— Sans doute. Qu'est-ce qu'il y a d'autre ?

— Rien d'important. Des paperasses à remplir, des clauses de désistements de certains de vos droits, ce genre de choses. Et, naturellement, je dois vous mettre officiellement en garde contre la déformation métaphorique.

— Très bien, dit Marvin. Allez-y, je vous écoute.

— C'est déjà fait. Mais je vais le redire : Prenez garde à la déformation métaphorique.

— J'aimerais bien, mais je n'ai pas la moindre idée de ce que ça peut être.

— C'est simple. Disons qu'il s'agit d'une forme d'aberration situationnelle. Voyez-vous, nos capacités d'assimilation du nouveau ont certaines limites, et ces limites sont rapidement atteintes et dépassées sitôt que nous voyageons en dehors de notre planète. Nous entrons en contact avec trop de choses étranges ; cela devient insupportable, et notre subconscient se réfugie dans le processus-tampon de l'analogie.

« L'analogie nous affirme que *ceci* équivaut à *cela* ; elle établit un pont entre le connu accepté et l'inconnu inacceptable. Elle relie l'un à l'autre, entourant l'inconnu indésirable d'une aura de familiarité rassurante.

« Toutefois, sous l'impact inexorable et renouvelé de l'inconnu, même nos facultés d'analogie peuvent s'émousser. Incapable de faire face à l'afflux de données nouvelles par la mise en œuvre du processus ordinaire de l'analogie conceptuelle, le sujet dépassé devient la victime de l'analogie perceptive. C'est ce que nous appelons l'état de

« déformation métaphorique » encore connu sous le nom de « sanchisme ». Est-ce que c'est plus clair comme ça ?

— Non, dit Marvin. Qu'appelez-vous « sanchisme » ?

— Le concept est suffisamment explicite. D'après Don Quichotte, le moulin à vent est un géant ; tandis que d'après Sancho, le géant est un moulin à vent. Le donquichottisme peut être défini comme la perception d'objets ordinaires sous la forme d'entités inhabituelles. Son contraire, le sanchisme, consiste en la perception d'entités inhabituelles sous la forme d'objets ordinaires.

— Vous voulez dire, demanda Marvin, que je pourrais croire que j'ai une vache en face de moi alors qu'en réalité je suis en train de regarder un Altaïrien ?

— Précisément, fit Blanders. Le principe est on ne peut plus simple. Si vous voulez bien signer ici, nous allons pouvoir procéder aux examens.

Il y eut de nombreux tests et une multitude de questions. Marvin Flynn fut bousculé, sondé, des projecteurs s'illuminèrent à sa figure, des bruits soudains le firent sursauter, d'étranges odeurs assaillirent ses narines.

Il passa haut la main toutes les épreuves. Quelques heures plus tard, on le conduisit dans la Salle des Transferts et on le fit asseoir dans un fauteuil qui ressemblait de façon inquiétante à une ancienne chaise électrique. Les techniciens firent les plaisanteries habituelles :

— Quand vous vous réveillerez, vous aurez l'impression d'être un autre homme !

Des lumières l'éblouirent, il sentit qu'il avait sommeil, sommeil, sommeil…

Il était empli d'excitation à l'idée du voyage qu'il allait faire, mais en même temps son ignorance du monde en dehors de Stanhope l'effrayait. Et puis, qu'est-ce que c'était que le Marché libre ? Où était situé le Monde Biscornu, et pourquoi fallait-il l'éviter à tout prix ? Et enfin, quels dangers recelait la déformation métaphorique et quelles étaient ses chances d'y échapper ?

Il découvrirait bientôt les réponses à toutes ces questions, en même temps qu'à d'autres dont il ne soupçonnait même pas l'existence. La lumière lui faisait mal aux yeux, et il les ferma un instant. Lorsqu'il les rouvrit, tout avait changé.

4

Malgré une conformation bipède, le Martien est l'une des plus étranges créatures de la galaxie. En fait, du point de vue sensoriel, les Kvees d'Aldébaran, malgré leur double cerveau et leurs membres spécialisés, sont plus proches de nous. On imagine, dans ces conditions, l'impression que peut éprouver quelqu'un qui se retrouve abruptement et sans préparation dans le corps d'un Martien. Mais il n'y a pas moyen de procéder autrement.

Marvin Flynn se trouvait dans une pièce agréablement meublée. Il y avait une seule fenêtre, par laquelle il contempla à travers ses yeux de Martien un paysage martien.

Il referma plusieurs fois les yeux, car il ne percevait rien d'autre qu'un désordre indescriptible. Malgré ses mécanismes de défense, il était assailli par les vagues nauséeuses du choc des cultures, et il dut rester immobile un long moment en attendant que cela passe. Puis il rouvrit précautionneusement les yeux et regarda.

Il aperçut des dunes plates, composées d'une centaine ou davantage de nuances de gris distinctes. Un vent bleu aux reflets d'argent se déplaçait bas sur l'horizon, et un vent ocré de sens opposé semblait l'attaquer. Le ciel était rouge et un grand nombre de teintes inconnues étaient visibles dans la gamme de l'infrarouge. Partout, Flynn percevait des raies spectrales qui se croisaient. Terre et ciel lui offraient une palette étrange aux tons parfois complémentaires, le plus souvent violemment opposés. Il n'y avait aucune harmonie naturelle des couleurs sur Mars ; c'étaient les couleurs du chaos.

Marvin s'aperçut qu'il tenait une paire de lunettes à la main. Il les mit, et immédiatement le déchaînement visuel fut ramené à des proportions plus supportables. L'étourdissement du choc diminua, et il commença à recevoir d'autres sensations.

Tout d'abord, une série de cognements sourds à son oreille, suivis de raclements évoquant le bruit d'un balai sur une caisse claire. Il regarda partout pour essayer de découvrir la source de ce bruit, et ne vit rien d'autre que la terre et le ciel. Il écouta plus attentivement, et s'aperçut que les bruits provenaient de sa propre poitrine. C'étaient son cœur et ses poumons, des bruits auxquels tous les Martiens étaient habitués.

Il procéda alors à un examen complet de son nouveau corps. Il regarda ses jambes, qui étaient longues et fuselées. Elles n'avaient pas de genoux, mais étaient articulées par contre à hauteur de cheville, de mollet, de mi-cuisse et de cuisse. Il fit quelques pas et admira la souple fluidité de ses mouvements. Ses bras étaient légèrement plus épais que ses jambes, et ses mains à double articulation avaient cinq doigts dont deux pouces opposables. Il pouvait les plier et les disposer d'une quantité de manières surprenante.

Il était vêtu d'un short noir et d'une vareuse blanche. Son support de poitrine était soigneusement replié et couvert d'une gaine de cuir brodé. Il était stupéfait de constater à quel point tout cela lui paraissait normal.

Et cependant, il n'y avait rien d'étonnant. C'était la faculté d'adaptation des créatures intelligentes à un milieu nouveau qui avait rendu possible la technique de Psychotroc. Malgré certaines différences spectaculaires d'ordre morphologique ou sensoriel, il n'était pas plus difficile après tout de s'acclimater à un organisme martien qu'à certaines créatures beaucoup plus sophistiquées de la galaxie.

Marvin Flynn méditait sur toutes ces choses lorsqu'il entendit une porte s'ouvrir derrière lui. Il se retourna pour voir entrer un Martien vêtu de l'uniforme du gouvernement à rayures vertes et grises. Le Martien fit pivoter ses pieds en dedans en guise de salut. Marvin répondit de la même façon.

L'une des merveilles de Psychotroc est leur « éducation automatique » ou, selon les termes pittoresques de la profession, « Vous louez la maison et vous avez les meubles avec ». Les meubles étant, en l'occurrence, l'usage des informations primaires contenues dans le cerveau de l'hôte, comme par exemple le langage, les mœurs et les informations générales sur la région où l'on se trouve, etc. Ce sont des connaissances sur l'environnement primaire, et elles sont générales, impersonnelles, utiles à la manière d'un guide, mais pas nécessairement infaillibles. Les souvenirs personnels, les affinités et les antipathies sont, à quelques exceptions près, hors de portée de l'occupant à moins d'un effort mental considérable. Là encore, dans ce domaine, il semble que nous soyons en présence d'une réaction de type immunologique, qui ne laisse s'établir qu'un contact de nature superficielle entre des entités disparates. Les « informations générales » sont le plus souvent épargnées par le processus ; mais les « informations personnelles », y compris les croyances, préjugés, espoirs et craintes, sont sacro-saintes.

— Bonne brise, dit le Martien selon la formule de politesse consacrée.

— Et ciel sans nuages, répondit Marvin Flynn (en s'apercevant avec mécontentement que le corps de son hôte avait un léger défaut de langue).

— Je m'appelle Meenglo Orichichich et je représente le Syndicat d'initiative. Bienvenue sur Mars, Mr. Flynn.

— Merci, répondit Marvin, je suis très heureux d'être ici. C'est mon premier Echange, vous savez.

— Oui, je sais, dit Orichichich. Il cracha par terre — signe de nervosité — et déplia ses pouces. Du couloir arriva le bruit d'une discussion animée. Orichichich reprit :

— En ce qui concerne votre séjour sur Mars...

— Je veux voir le Tertre du Roi des sables. Et naturellement, l'Océan qui parle.

— C'est un choix excellent, approuva Orichichich. Mais d'abord, il y a une ou deux formalités mineures à accomplir.

— Formalités ?

— Rien de très compliqué, fit Orichichich en plissant le nez vers la gauche en un gentil sourire martien. Voudriez-vous regarder ces papiers et les identifier, s'il vous plaît ?

Marvin Flynn prit les papiers qu'on lui tendait et les parcourut du regard. C'étaient des duplicata des formulaires qu'il avait signés sur la Terre. Il les relut complètement pour vérifier que les renseignements avaient été transmis correctement.

— Ce sont les papiers que j'ai signés sur la Terre, dit-il.

Le bruit de discussion dans le couloir s'amplifia. Marvin discerna les mots : « Fils pondeur échaudé d'une souche gelée ! Bouffe-gravier dégénéré ! »

Ils y allaient fort, vraiment.

Marvin fronça le nez d'un air étonné. L'employé se hâta d'expliquer :

— Juste un petit malentendu. Une de ces infortunées erreurs qui se produisent même dans les services les mieux organisés. Mais je suis sûr que nous allons régler tout cela en cinq bouchées de rapi, sinon moins. Permettez-moi de vous demander si...

Il y eut un bruit de bousculade dans le couloir, et un Martien fit irruption dans la pièce avec un fonctionnaire martien accroché à son bras qui essayait de le retenir.

Le Martien qui venait de faire irruption était extrêmement vieux, commme on pouvait en juger par la faible phosphorescence de sa peau. Ses bras étaient tremblants lorsqu'il les dirigea tous les deux vers Marvin :

— C'est celui-là ! s'écria-t-il. C'est celui-là, et par la souche je l'aurai maintenant !

— Monsieur, s'indigna Marvin, je n'ai pas l'habitude que l'on s'adresse à moi de la sorte.

— Je ne m'adresse pas à vous, fit le vieux Martien. Vous ne m'intéressez pas. Je m'adresse au corps que vous occupez, et qui ne vous appartient pas.

— Que voulez-vous dire ? demanda Marvin.

— Ce monsieur, expliqua le fonctionnaire, prétend que vous occupez un corps qui lui appartient. Il cracha par terre à deux reprises. Il s'agit d'une méprise, naturellement, et nous allons faire en sorte de régler cela immédiatement...

— Une méprise ! hurla le vieux Martien. C'est de l'escroquerie pure et simple !

— Monsieur, fit Marvin avec une dignité glacée, ou bien vous commettez une grave erreur, ou bien vous faites ce scandale pour des raisons qui échappent à mon entendement. Ce corps, monsieur, a été légalement et régulièrement loué par moi.

— Crapaux écailleux ! s'écria le vieillard en se débattant avec circonspection pour se libérer du fonctionnaire qui le retenait. Attendez que je l'attrape !

Soudain, une silhouette imposante entièrement vêtue de blanc s'encadra sur le seuil de la porte. Le silence se fit tandis que tous les regards se tournaient avec crainte et respect vers le représentant de la Police du Désert pour le secteur Mars-Sud.

— Messieurs, déclara l'agent de police, inutile de m'exposer vos récriminations. Nous allons tous nous rendre au poste de police où, avec l'aide du télépathe fulszime, nous découvrirons la vérité et les motivations cachées de chacun. L'agent s'interrompit alors dans un silence impressionnant, regarda chacun longuement dans les yeux, avala sa salive en signe de calme suprême et ajouta : « Cela, je vous le promets. »

Sans autre cérémonie, l'agent de police, le fonctionnaire, le vieillard et Marvin Flynn se mirent en route. Ils marchèrent en silence, accablés sous le poids d'une appréhension commune. Ils savaient que selon un truisme vérifié dans la galaxie civilisée tout entière, chaque fois que la police s'en mêle, c'est là que les ennuis commencent vraiment.

5

Au commissariat de police, Marvin Flynn et les autres furent directement conduits dans la petite pièce obscure et humide où vivait le télépathe fulszime. Cette entité tripède, comme tous ses congénères de la planète Fulszime, possédait un sixième sens télépathique, peut-être en compensation de la faiblesse des cinq autres.

— Très bien, dit le télépathe fulszime lorsque tout le monde fut assemblé devant lui. Veuillez vous avancer, mon ami (il pointa un doigt sévère en direction de l'agent de police), et me raconter votre histoire.

— Monsieur, dit l'agent de police avec embarras, il se trouve que je suis le représentant de l'ordre.

— Très intéressant, dit le télépathe, mais je ne vois pas le rapport avec la question de votre innocence ou de votre culpabilité.

— Mais je ne suis accusé d'aucun crime.

Le télépathe médita un instant, puis dit :

— Je crois comprendre... Ce sont les deux autres qui sont accusés, c'est bien ça ?

— C'est bien ça, dit l'agent de police.

— Toutes mes excuses, dans ce cas. Votre aura de culpabilité m'a conduit à une identification trop hâtive.

— Culpabilité ? Moi ? fit l'agent de police. Il parlait calmement, mais sur sa peau se dessinaient les striures orangées typiques de l'angoisse.

— Oui, vous, dit le télépathe. Cela ne devrait pas vous surprendre ; le vol qualifié est le genre de choses qui donnent un sentiment de culpabilité à la plupart des créatures intelligentes de la galaxie.

— Une seconde ! s'écria l'agent de police. Je n'ai commis aucun vol !

Le télépathe ferma les yeux pour quelques secondes d'introspection. Finalement, il déclara :

— C'est exact. J'aurais dû dire que vous *alliez* commettre un vol.

— La voyance n'est pas admise comme preuve devant les tribunaux, rappela l'agent de police. De plus, la prédiction de l'avenir constitue une violation flagrante de la loi du libre arbitre.

— C'est vrai, admit le télépathe. Toutes mes excuses.

— Ce n'est pas grave, dit l'agent de police. Quand commettrai-je ce prétendu vol qualifié ?

— Dans six mois environ.

— Et serai-je arrêté ?

— Non. Vous vous réfugierez sur une planète où les lois d'extradition n'existent pas.

— Hum, très intéressant, murmura l'agent de police. Et pourriez-vous me dire si... Mais nous discuterons de cela plus tard. Il faut d'abord que vous entendiez les témoignages de ces personnes, afin d'établir leur innocence ou leur culpabilité.

Le télépathe regarda Marvin, agita une nageoire dans sa direction et déclara :

— Vous pouvez commencer.

Marvin raconta son histoire, en commençant par la lecture de la petite annonce et en n'omettant aucun détail.

— Merci, dit le télépathe lorsqu'il eut fini. Et maintenant, monsieur, ajouta-t-il en se tournant vers le vieux Martien, racontez-nous ce qui vous est arrivé.

Le vieillard s'éclaircit la voix, se gratta le thorax, cracha une ou deux fois et commença.

LE RECIT D'AIGELER THRUS

Je ne sais même pas par où commencer cette chose, aussi je crois que je vais tout d'abord vous donner mon nom, qui est Aigeler Thrus, et ma race, qui est adventiste némucthienne, ainsi que ma profession, qui est de posséder et de tenir un magasin de vêtements sur la planète Achelsis V. Ce n'est qu'un modeste commerce, et qui ne marche pas très fort, et mon magasin se trouve à Lambersa, sur la calotte polaire australe, et je vends des vêtements toute la journée aux travailleurs immigrants vénusiens, qui sont de grands gaillards verts et velus, très ignorants et rustres et prompts à déclencher la bagarre, bien que je n'aie aucun préjugé contre ces gens-là.

Dans mon métier on devient vite philosophe, et si je ne suis pas riche au moins j'ai la santé (merci mon Dieu), et c'est également le cas de ma femme Allura à l'exception d'une légère dégénérescence fibreuse tentaculaire. J'ai aussi deux grands fils, dont l'un est médecin à Sidneport et l'autre dresseur de Klannts. J'ai aussi une fille, qui est mariée, ce qui signifie que j'ai également un gendre.

Ce gendre, je ne lui ai jamais fait confiance, car il est trop dandy à mon goût et possède vingt paires de supports de poitrine alors que sa femme, ma fille, n'a même pas une parure de grattoirs décente. Mais on ne peut rien y faire, elle s'est fait son tertre, comme on dit, maintenant elle n'a plus qu'à ramper. Mais ça ne m'empêchera pas de dire que quand un homme ne s'intéresse qu'à ses habits et à des lubrifiants de luxe pour ses jointures et à d'autres fantaisies du même goût, avec le salaire d'un représentant

en humidité (il s'intitule « ingénieur hydrosensoriel » !)
cela vous donne à réfléchir un peu.

Et il est toujours en train de se lancer, pour essayer
d'agrémenter un peu son budget, dans des aventures
complètement stupides que je suis obligé de financer avec
les économies durement gagnées à la sueur de mon front
en vendant des vêtements à d'ignares gaillards verts.
Comme l'année dernière, quand il s'était mis dans la tête
de se lancer dans une affaire d'appareils à faire les nuages
et que je lui disais : ça n'intéressera jamais personne. Mais
ma femme ne faisait qu'insister pour que je l'aide à
démarrer, et le résultat était couru d'avance, ce fut la
faillite. Et cette année il avait un autre projet, cette fois-ci
c'étaient des lots de second choix en laine synthétique
iridescente de Véga II, une cargaison entière qu'il avait
dénichée à Héligoport et qu'il voulait me faire acheter.

Je lui avais dit : « Ecoute, qu'est-ce que ces braillards
de Vénusiens connaissent en matière d'élégance vestimen-
taire ? Ils sont bien contents s'ils peuvent s'offrir un short
en tissu croisé, ou même une tunique pour les jours de
fête. » Mais mon gendre a réponse à tout et il m'a
répliqué : « Dites-moi, Papa, à quoi ça sert alors que j'aie
fait des études sur les mœurs et coutumes folkloriques des
Vénusiens ? A mon point de vue, voilà des gens qui
viennent du fin fond de leur cambrousse et qui ont dans le
sang leur amour du rituel et des danses et des *couleurs
vives,* c'est naturel, non ? »

Enfin bref, une fois de plus je me suis laissé persuader.
Mais je voulais voir d'abord de mes propres yeux ces
tissus iridescents de second choix, parce que je ne ferais
pas confiance à mon gendre pour juger un morceau de
charpie. Et cela signifiait traverser la moitié de la Galaxie
jusqu'à Héligoport, sur Mars. Aussi je commençai mes
préparatifs.

Personne ne voulait faire un Echange standard avec
moi. Je ne dis pas que je ne comprends pas, parce que
personne ne vient de gaieté de cœur sur une planète

comme Achelsis V à moins d'être immigrant vénusien et de ne pas pouvoir faire autrement. C'est alors que j'ai lu cette annonce d'un Martien, Ze Kraggash, qui désirait louer son corps et mettre sa psyché au Frigo pour une période prolongée de repos. C'était une solution très onéreuse, mais que faire ? J'ai toujours pu récupérer un peu d'argent en louant mon propre corps à un ami qui était chasseur de quarentz avant d'être cloué au lit par une dyscomyotose musculaire. Je suis donc allé à l'Office de Psychotroc, et je me suis fait projeter sur Mars.

Imaginez un peu ma réaction lorsque je m'aperçois qu'il n'y a aucun corps qui m'attend ! Tout le monde est complètement affolé et essaye de comprendre ce qui est arrivé, et ils veulent même me renvoyer sur Achelsis V ; mais c'est impossible, parce que mon ami est déjà parti avec mon corps pour une expédition de chasse au quarentz.

Finalement, ils me trouvent un corps à l'agence de location de corps de Theresiendstadt ; mais ils ne peuvent pas me le laisser plus de douze heures parce que tous leurs corps sont déjà retenus depuis longtemps pour la saison d'été. Sans compter que c'est un vieux corps décrépit, comme vous pouvez en juger par vous-mêmes, et horriblement cher par-dessus le marché.

Je fais donc ma petite enquête pour essayer de voir ce qui n'a pas marché, lorsque je tombe sur ce touriste terrien qui se pavane impudemment dans le corps que j'ai payé et que je devrais occuper en ce moment même.

Ce n'est pas seulement indignant, c'est également préjudiciable à ma santé. Voilà toute l'histoire, messieurs.

Le télépathe se retira dans ses appartements afin de pouvoir méditer sa décision. Lorsqu'il revint moins d'une heure plus tard, il parla en ces termes :

— Vous avez tous les deux de bonne foi loué, échangé ou acquis par tout autre moyen licite le corps du Martien Ze Kraggash. Ce corps a été proposé par son propriétaire, le sus-mentionné Ze Kraggash, à deux parties à la fois, en violation flagrante de toutes les lois régissant ce type de transaction. Le geste de Ze Kraggash doit être considéré comme criminel aussi bien dans son intention que dans son exécution. En conséquence de quoi j'ai fait envoyer un message à la Terre demandant l'arrestation immédiate du sus-mentionné Ze Kraggash et sa détention dans un local approprié jusqu'à ce que son extradition ait pu être prononcée.

« Considérant que vous avez tous les deux effectué votre transaction de bonne foi ; considérant cependant que la première en date desdites transactions, en tant qu'attestée par la production du contrat en vigueur, a été effectuée par Mr. Aigeler Thrus, qui précède de trente-huit heures Mr. Marvin Flynn, nous ordonnons que Mr. Thrus, en tant que Premier Contractant, soit désigné Gardien du Corps pour une durée indéterminée. En conséquence de quoi Mr. Flynn devra se désister et renoncer à son occupation illégale du sujet du litige après avoir pris connaissance de l'Acte de Dépossession que je lui remets présentement, et ce dans un délai de six heures standard de Greenwich maximum. »

Le télépathe tendit à Marvin l'Acte de Dépossession. Ce dernier l'accepta avec tristesse mais résignation.

— Je suppose, dit-il, qu'il ne me reste plus qu'à regagner mon propre corps sur la Terre.

— C'est ce que vous auriez de mieux à faire, en effet, dit le télépathe. Malheureusement, je crains bien que ce ne soit pas possible pour le moment.

— Pas possible ? Et pourquoi pas ?

— Parce que d'après les autorités terriennes dont je viens de recevoir la réponse télépathique, votre corps, animé par la psyché de Ze Kraggash, est absolument introuvable. Une enquête préliminaire nous fait craindre que Ze Kraggash n'ait déjà quitté la planète en emportant avec lui votre corps et l'argent de Mr. Aigeler.

Il fallut quelque temps à Marvin pour réaliser les

implications de ce qu'il venait d'entendre. Il était bloqué sur Mars dans un corps étranger qu'il était obligé d'abandonner. D'ici un délai de six heures, il serait une psyché sans corps et avec peu de chances d'en trouver un.

L'esprit ne peut pas vivre sans le corps. Marvin Flynn s'apprêta à faire face, lentement et à contrecœur, à l'imminence de sa propre mort.

6

Il refusait de céder au désespoir. Il préférait céder à la colère, qui est une émotion bien plus saine quoique également improductive. Au lieu de se rendre ridicule en pleurant devant les tribunaux, il se rendit ridicule en ameutant les couloirs du Bâtiment Fédéral où il exigeait ou son dû ou un dédommagement suffisant.

En vain on essaya de raisonner ce jeune homme impétueux. En vain plusieurs hommes de loi lui firent remarquer que si la justice pouvait exister réellement on n'aurait pas besoin de lois ni de législateurs et l'une des plus nobles conceptions de l'homme serait vouée à l'oubli, condamnant ainsi au chômage une corporation tout entière. Car cela fait partie de l'essence même de la loi, lui dit-on, qu'il existe des abus et des injustices, puisque ces accidents servent de preuve et de justification à la nécessité de la loi et de la justice elles-mêmes.

Cette argumentation lucide n'apporta pas la paix à un Marvin enragé que la raison ne semblait plus pouvoir atteindre. Le souffle rauque et la mâchoire dilatée, il criait son mépris à la machine justiciaire de Mars. Sa conduite était considérée comme outrageante et n'était tolérée que parce qu'il était jeune et pas encore totalement acculturé.

Echange standard.   2.

Mais la rage ne lui valut aucun résultat et ne provoqua même pas en lui les saines sensations de la catharsis. Plusieurs employés judiciaires le lui firent remarquer, mais leurs efforts furent impitoyablement rejetés.

Marvin demeura inconscient de la mauvaise impression qu'il donnait de lui-même, et au bout d'un certain temps sa colère s'éteignit, laissant un résidu de mécontentement boudeur.

C'est dans cet état d'âme qu'il arriva devant une porte où on lisait les mots : « Office de Détection et d'Appréhension, Division Interstellaire. »

— Ah ah ! murmura Marvin, et il pénétra dans le bâtiment.

Il se retrouva dans une petite pièce qui semblait issue des pages d'un ancien roman historique. Le long des murs étaient des banques de vénérables mais éprouvés calculateurs électroniques. Près de la porte il y avait un vieux modèle de translateur psychique. Les fauteuils avaient les formes abruptes et les revêtements de plastique pastel que nous avons coutume d'associer à une époque moins tourmentée que la nôtre. Il ne manquait plus qu'un énorme Moraeny à circuits intégrés pour que la scène constitue une évocation parfaite d'une page de Sheckley ou d'un autre poète de l'Epoque des Transmissions.

Il y avait là un Martien d'un certain âge assis dans un fauteuil occupé à lancer des fléchettes vers une cible en forme de postérieur féminin. Il se retourna vivement lorsque Marvin entra et lui dit :

— Vous êtes enfin là ! Je vous attendais.

— Vraiment ? fit Marvin.

— Pas tout à fait, dit le Martien. Mais c'est une formule que je trouve efficace comme entrée en matière, et qui tend à établir tout de suite un climat de confiance.

— Alors, pourquoi tout gâcher en me le disant ?

Le Martien haussa les épaules :

— Ecoutez, on ne peut pas être parfait. Je ne suis qu'un modeste détective. Je m'appelle Urf Urdorf.

Asseyez-vous. Je pense que nous avons trouvé une piste en ce qui concerne la disparition de votre manteau de fourrure.

— Quel manteau de fourrure ?

— N'êtes-vous pas Madame Ripper de Lowe, la travestie victime d'un vol hier soir à l'Hôtel des Sables Rouges ?

— Sûrement pas. Je m'appelle Marvin Flynn, et j'ai perdu mon corps.

— Evidemment, évidemment, fit le détective Urdorf en hochant vigoureusement la tête. Reprenons point par point. Vous souvenez-vous par hasard de l'endroit exact où vous vous trouviez lorsque vous vous êtes aperçu pour la première fois que vous n'aviez plus votre corps avec vous ? Un de vos amis aurait-il pu le prendre pour vous faire une plaisanterie ? Est-ce que vous ne l'avez pas simplement rangé quelque part, ou peut-être envoyé en vacances ?

— Je ne l'ai pas vraiment perdu, dit Marvin. En fait, il a été volé.

— Vous auriez dû le dire depuis le début ! Voilà qui éclaire l'affaire sous un jour nouveau. Je ne suis qu'un détective, pas une voyante extra-lucide.

— Désolé, dit Marvin.

— Je suis désolé moi aussi, dit le détective Urdorf. C'est-à-dire pour votre corps. Cela a dû vous faire un mauvais choc.

— En effet.

— Je comprends très bien ce que vous avez dû ressentir.

— Merci.

Ils communièrent quelques minutes dans un silence profond. Puis Marvin demanda :

— Eh bien ?

— Je vous demande pardon ? fit le détective.

— J'ai dit : « Eh bien ? »

— Oh, excusez-moi, je n'avais pas compris la première fois.

— Il n'y a pas de mal.

— Merci.

— Mais je vous en prie.

Il y eut un nouveau silence. Puis Marvin demanda :
« Eh bien ? » à nouveau, et Urdorf dit :

— Je vous demande pardon ?

— Je voudrais le récupérer.

— Quoi ?

— Mon corps.

— Votre quoi ? Ah oui, votre corps. Hum, je ne peux
pas dire que je ne vous comprends pas, répondit Urf
Urdorf avec un sourire compatissant. Mais ce n'est
évidemment pas si facile que ça, n'est-ce pas ?

— Je ne sais pas, dit Marvin.

— Non, bien sûr, vous ne pouvez pas savoir. Mais je
puis vous assurer que ce n'est vraiment pas si facile que
ça.

— Je vois, dit Marvin.

— J'espérais bien que vous comprendriez, fit Urdorf.
Et le silence retomba.

Ce silence dura environ vingt-cinq secondes, plus ou
moins une seconde ou deux. A la fin de cet intervalle de
temps, la patience de Marvin s'effondra et il se mit à
hurler :

— Est-ce que oui ou non vous allez vous décider à
remuer vos fesses et m'aider à faire quelque chose au lieu
de parler pour ne rien dire ?

— Bien sûr que je vais vous aider à retrouver votre
corps. Tout au moins, je vais essayer. Mais il n'y a pas de
raison pour que vous soyez grossier. Après tout, je ne suis
pas une machine pleine de réponses toutes programmées.
Je suis un être intelligent comme vous-même, j'ai mes
espoirs et mes craintes et, pour ce qui vous intéresse, j'ai
ma manière à moi de concevoir un entretien avec un
client. Elle peut vous paraître inefficace, mais elle m'a été
extrêmement utile.

— Vraiment ? demanda Marvin, radouci.

— Mais oui, mais oui, fit le détective d'une voix très douce où ne subsistait plus aucune trace de rancœur.

Le silence semblait sur le point de s'établir à nouveau, aussi Marvin s'empressa-t-il de demander :

— A votre avis, quelles sont mes chances — *nos* chances — de récupérer mon corps ?

— Toutes les chances, répondit Urdorf. J'ai la ferme conviction que nous allons le retrouver dans un avenir très proche. En fait, je puis même aller jusqu'à dire que le succès ne fait pour moi aucun doute. Je ne me base pas pour dire cela sur l'étude de votre cas particulier, dont je connais à vrai dire peu de choses pour le moment, mais sur une simple étude des statistiques concernées.

— Les statistiques sont en notre faveur ? demanda Marvin.

— Absolument. Jugez plutôt : je suis un détective qualifié, au courant des dernières techniques, appartenant à la catégorie professionnelle AA-A. Malgré cela, après cinq années de carrière je n'ai pas encore élucidé une seule affaire.

— Pas une seule ?

— Pas une seule, affirma Urf Urdorf. Très intéressant, n'est-ce pas ?

— Oui, sans doute, dit Marvin. Mais je ne vois pas comment...

— Cela signifie, dit le détective, que l'une des plus extraordinaires séries de malchance dont j'aie jamais entendu parler est statistiquement obligée de prendre fin.

Marvin resta perplexe, ce qui est une sensation inhabituelle dans le corps d'un Martien. Il répondit :

— Mais supposons que votre malchance persiste ?

— Ne soyez pas superstitieux, dit le détective. Les probabilités sont là ; même l'examen le plus superficiel de la situation devrait vous en convaincre. J'ai été incapable de résoudre cent cinquante-huit affaires d'affilée. Vous êtes ma cent cinquante-neuvième. Si vous étiez joueur, comment miseriez-vous ?

— Je continuerais avec la série, dit Marvin.

— Moi aussi, avoua le détective avec un soupir. Mais nous aurions tous les deux tort. Nous jouerions en fonction de nos émotions et non du froid calcul de notre intellect. Il considéra rêveusement le plafond. « Cent cinquante-huit échecs ? Quel record fantastique, incroyable même si vous m'accordez le bénéfice de la bonne foi, de l'adresse et de l'incorruptibilité. Cent cinquante-huit ! Une série comme celle-là est forcée de finir ! Même si je restais dans mon bureau sans rien faire, le voleur finirait probablement par se retrouver sur ma route tellement les chances sont en ma faveur. »

— Vous avez sans doute raison, dit poliment Marvin ; mais j'espère que vous essaierez une autre méthode que celle-là.

— Bien sûr, bien sûr, fit Urdorf. Ce serait intéressant, mais il y a des gens qui ne comprendraient peut-être pas. Non, je m'occuperai activement de votre affaire, surtout dans la mesure où il s'agit d'un crime sexuel, domaine auquel je m'intéresse particulièrement.

— Je vous demande pardon ? dit Marvin.

— Oh, vous n'avez pas besoin de vous excuser, lui assura le détective. Il n'y a pas de raison de se sentir coupable ou gêné parce que l'on a été victime d'une agression sexuelle, même si la sagesse populaire traditionnelle d'un grand nombre de civilisations attache à la victime d'un tel attentat une marque d'opprobre due à des présomptions de complicité inconsciente ou consciente.

— Mais je ne m'excusais pas, dit Marvin. Je voulais simplement…

— Je comprends fort bien, dit le détective. Surtout, n'ayez aucune honte à me parler de tous les détails anormaux ou répugnants. Considérez-moi comme un intermédiaire impersonnel et désintéressé et non comme un être intelligent soumis à ses propres instincts érotiques, à ses craintes et à ses lubies, à ses motivations et à ses pulsions.

— J'essayais de vous dire, expliqua Marvin, qu'il ne s'agit pas d'une affaire sexuelle.

— Ils disent tous ça, murmura rêveusement le détective. C'est étrange comme l'esprit humain répugne éternellement à accepter l'inacceptable.

— Ecoutez, dit Marvin, si vous vouliez bien prendre connaissance du dossier, vous verriez qu'il s'agit tout bonnement d'une affaire d'escroquerie. Le gain et l'auto-perpétuation en sont les seuls mobiles.

— Vous ne m'apprenez rien, dit le détective. Et si je ne connaissais pas le processus de la sublimation, je serais peut-être d'accord avec vous.

— Quel autre mobile aurait pu avoir ce bandit ?

— Son mobile est évident, expliqua Urdorf. C'est un syndrome classique. Voyez-vous, cet homme a obéi à une compulsion particulière pour laquelle nous avons une expression particulière. Il a été poussé à accomplir son acte par l'état avancé de narcissisme projectif obsessionnel dans lequel il se trouvait.

— Je ne comprends pas, dit Marvin.

— Ce n'est pas la sorte de chose que n'importe qui peut s'attendre à rencontrer tous les jours.

— Mais qu'est-ce que ça veut dire ?

— Je n'ai pas l'intention de me lancer dans l'étiologie tout entière, mais essentiellement la dynamique du syndrome repose sur un transfert narcissique. C'est-à-dire que le malade tombe amoureux de quelqu'un d'autre, mais pas en tant qu'autre. Il aime l'Autre en tant que Lui-même. Il se projette dans la personne de l'Autre, qu'il identifie à tous points de vue avec lui-même, répudiant en réalité son moi véritable. Qu'il puisse entrer en possession de l'Autre par le truchement de Psychotroc ou un moyen semblable, et cet Autre devient lui-même, ce qui lui permet d'éprouver pour lui-même un amour parfaitement normal.

— Vous voulez dire, demanda Marvin, que ce bandit m'aimait ?

— Pas du tout ! Ou plutôt, il ne vous aimait pas en tant que vous — en tant que personne séparée — mais en tant que lui-même, et ainsi son obsession névrotique l'a obligé à devenir vous-même afin qu'il puisse s'aimer lui-même.

— Et lorsqu'il est devenu moi, demanda Marvin, il a pu s'aimer en toute tranquillité ?

— Précisément ! Ce phénomène particulier est connu sous le nom de réhabilitation du moi. Possession de l'Autre égale possession du Moi primordial ; la possession devient autopossession, la projection obsessionnelle est transformée en introjection normative. Une fois atteint le but névrotique, on observe une rémission apparente des symptômes et le malade se trouve dans un état de pseudo-normalité où son problème ne peut plus être décelé que par inférence. C'est tragique, naturellement.

— Pour la victime ?

— Euh, oui, certainement ; mais je pensais surtout au malade. Songez que dans son cas deux pulsions tout à fait normales ont été combinées, ou croisées, et ainsi perverties. L'amour de soi est normal et nécessaire, et il en va de même pour le désir de possession et de transformation. Mais pris ensemble, ils signifient la destruction du véritable moi, supplanté par ce que nous appelons le moi-miroir. La victoire névrotique, comme vous le voyez, ferme la porte à la réalité objective. Assez ironiquement, l'intégration apparente du moi abolit tout espoir de véritable santé mentale.

— Très bien, fit Marvin avec résignation. Est-ce que cela peut nous aider à retrouver l'individu qui m'a volé mon corps ?

— Cela nous permettra de le comprendre. La compréhension c'est la force. Nous savons au départ que l'homme que nous recherchons a toutes les chances de se comporter normalement. Ceci étend notre champ d'action et nous permet de nous comporter *exactement comme s'il était normal* en mettant en œuvre toute la gamme des techniques d'investigations modernes. Pouvoir commencer une enquête sur une base pareille, ou sur n'importe quelle base en vérité, est un avantage réel, je puiş vous l'affirmer.

— Quand pouvez-vous commencer ? demanda Marvin.

— J'ai déjà commencé. Je demanderai votre dossier judiciaire, naturellement, ainsi que tous les autres documents concernant cette affaire. Je prendrai également contact avec les autorités planétaires compétentes pour essayer d'avoir des renseignements complémentaires. Je ne m'épargnerai aucun effort et je voyagerai jusqu'aux confins de l'univers si c'est nécessaire et souhaitable. Je réussirai à résoudre cette affaire !

— Je suis très heureux que vous preniez les choses ainsi, dit Marvin.

— Cent cinquante-huit affaires d'affilée ! murmura rêveusement Urdorf. Avez-vous jamais entendu parler d'une telle série de malchance ? Mais elle s'arrêtera ici. Je veux dire que ça ne peut pas durer indéfiniment, n'est-ce pas ?

— Je suppose que non.

— J'aimerais bien que ce soit l'avis de mes supérieurs, ajouta lugubrement le détective. J'aimerais bien qu'ils cessent de me traiter de « vasouillard ». Des mots comme celui-là, et des ricanements, et des haussements de sourcils, cela tend à saper le moral. Heureusement pour moi, j'ai une volonté implacable et une confiance en moi inébranlable. Ou plutôt, je les ai eues jusqu'à mon quatre-vingt-dixième échec à peu près.

Le détective médita morosement pendant quelques instants, puis il ajouta :

— Naturellement, j'attends de vous une coopération absolue et complète.

— Vous l'aurez, dit Marvin. Le seul ennui, c'est que je dois être dépossédé de ce corps dans moins de six heures.

— C'est ennuyeux, commenta distraitement Urdorf. Visiblement il ne pensait qu'à son affaire, et c'est avec difficulté qu'il reporta son attention sur Marvin. « Dépossédé, hein ? Je suppose que vous avez pris d'autres dispositions ? »

— Je ne sais pas quelles dispositions prendre, fit lugubrement Marvin Flynn.

— Vous ne pouvez tout de même pas me demander d'organiser toute votre vie pour vous, déclara le détective d'un ton cassant. Je suis qualifié pour accomplir une tâche précise, et le fait que j'ai systématiquement échoué dans cette tâche ne signifie pas que je ne suis pas qualifié pour l'accomplir. Aussi vous devrez vous occuper vous-même de vous procurer un nouveau corps. C'est que l'enjeu est important.

— Je sais, dit Marvin. Trouver un nouveau corps est pour moi une question de vie ou de mort.

— Il y a cela aussi. Mais je pensais à l'affaire, et au préjudice que votre mort lui causerait.

— Ce ne sont pas des choses à dire, fit Marvin.

— Je ne pensais pas à mon propre intérêt dans cette affaire. Il est évident que j'y ai un intérêt. Mais plus important est le concept de Justice, et la croyance en l'existence de la notion de bien, dont dépendent toutes les théories du mal, ainsi que la théorie statistique des probabilités. Tous ces concepts essentiels pourraient être ébranlés par un cent cinquante-neuvième échec. Vous admettrez je pense que tous ces enjeux sont bien plus importants que nos pauvres existences.

— Non, je ne l'admets pas, dit Marvin.

— Enfin, inutile de discuter de ça, fit le détective d'un ton subitement enjoué. Trouvez-vous quelque part un autre corps, et par-dessus tout restez en vie ! Je veux surtout que vous me promettiez de faire tout votre possible pour rester en vie.

— Je vous le promets, dit Marvin.

— Je vais prendre en main votre affaire, et je vous contacterai dès que j'aurai du nouveau.

— Mais comment me trouverez-vous ? demanda Marvin. Je ne sais pas dans quel corps je serai, ni sur quelle planète.

— Vous oubliez que je suis détective, dit Urdorf en souriant faiblement. J'ai peut-être du mal à découvrir les criminels, mais je n'ai jamais eu la moindre difficulté à découvrir des victimes. J'ai là-dessus une théorie dont je serai heureux de discuter avec vous un jour où nous aurons le temps. Pour l'instant, rappelez-vous simplement que où que vous soyez et qui que vous soyez devenu, je saurai vous trouver le moment venu. Aussi, hardi les cœurs, et n'oubliez pas de rester en vie !

Marvin promit de rester en vie, car de toute façon il en avait eu l'intention. Puis il sortit dans la rue, avec son temps précieux qui s'écoulait et toujours pas de corps en vue.

7

Grand titre de la *Dépêche martienne* (édition triplanétaire) :

SCANDALE A PSYCHOTROC

Les autorités policières de Mars et de la Terre ont révélé aujourd'hui l'existence d'un scandale ayant pour cadre une série d'Echanges standard. On recherche pour interrogatoire le dénommé Ze Kraggash, d'espèce inconnue, soupçonné d'avoir sciemment vendu, échangé ou cédé d'une autre façon son corps à douze personnes différentes. Un mandat d'arrêt a été délivré contre lui, et la police triplanétaire a bon espoir d'être bientôt en mesure de publier un communiqué. L'affaire n'est pas sans évoquer le scandale de sinistre mémoire d'Eddie-les-deux-têtes, au début des années quatre-vingt-dix, à l'occasion duquel...

Marvin Flynn laissa tomber le journal dans le caniveau. Il le regarda disparaître emporté par le torrent de sable, et le caractère éphémère de la chose imprimée lui apparut comme un paradigme de la précarité de sa propre existence. Il regarda ses mains vides en baissant tristement la tête.

— Allons, allons, on dirait qu'on a des ennuis, mon garçon.

Flynn redressa la tête et vit le visage amical et turquoise d'un Erlan.

— Je suis très ennuyé, dit Flynn.

— Voyons de quoi il s'agit, fit l'Erlan en se dépliant sur le trottoir à côté de lui.

Comme tous ceux de sa race, il combinait un don de sympathie instantanée avec une certaine brusquerie de manières. Les Erlans avaient la réputation d'un peuple rude, spirituel, assez porté sur la raillerie bon enfant et la philosophie de terroir. Grands voyageurs et commerçants dans l'âme, les Erlans d'Erlan II étaient obligés par leur religion à voyager *in corpore*.

Marvin fit le récit de tout ce qui lui était arrivé jusqu'au moment présent crucial, jusqu'à l'impitoyable et cruel présent dévorant sans merci son infime capital de minutes et de secondes, le poussant vers la tragique échéance où, ses six heures écoulées, il se retrouverait sans corps, livré à cette galaxie inconnue que les hommes appellent la mort.

— Gordieu ! dit l'Erlan. Voilà qui s'appelle s'apitoyer sur soi-même !

— Vous pouvez le dire, que je m'apitoie sur moi-même, s'écria Flynn dans un accès de colère. N'importe qui condamné à mourir dans six heures me ferait pitié. Pourquoi pas moi-même ?

— Comme vous voudrez, collègue, dit l'Erlan. Certains diront que c'est du parti pris et toute la cloque, mais moi je m'en tiens à la parole des Guajuoies, qui disent : « C'est la mort qui vous souffle au cou ? Donnez-lui un bon coup sur le nez ! »

Marvin respectait toutes les religions, et n'avait rien de particulier contre le Rite antidescantin. Mais il ne voyait pas en quoi les paroles des Guajuoies pouvaient l'aider, et il ne se cacha pas de le dire.

— Un peu de courage ! fit l'Erlan. Vous avez encore votre tête et vos six heures, pas vrai ?

— Cinq.

— Eh bien ! Remuez-vous et montrez un peu plus de zist, hein, camarade ! Ça ne vous servira pas à grand-chose de rester là à vous lamenter comme une vieille peau de bique !

— J'ai bien l'intention de faire quelque chose, dit Marvin, mais quoi ? Je n'ai plus de corps, et je n'ai pas les moyens de m'en payer un autre.

— Ce n'est que trop vrai. Mais avez-vous songé au Marché libre, dites-moi ?

— On dit que c'est trop dangereux, dit Marvin.

Mais aussitôt l'absurdité de ses paroles lui apparut et il rougit. L'Erlan souriait d'un air sarcastique.

— Vous voyez le tableau, hein, collègue. Mais ce n'est pas si dangereux quand on y songe bien, du moment qu'on a le moral et qu'on tient debout. Le Marché libre n'est pas si terrible, mais ce sont les agences de troc qui vous disent n'importe quoi pour pouvoir justifier leurs tarifs capitalistes exorbitants. Seulement, moi, je connais un gus qui a travaillé là-bas pendant vingt ans dans les Equipes Temporaires et qui m'affirme que la plupart des gus sont rectos comme l'as de pique. Alors, relevez le menton, rectifiez votre support de poitrine et trouvez-vous un bon intermédiaire. Bonne chance, mon garçon.

— Eh ! Attendez ! cria Marvin tandis que l'Erlan se

repliait pour se mettre debout. Comment s'appelle votre ami ?

— James Virtue McHonnery, fit l'Erlan. C'est un dur à cuire mais il est bon zigue, enclin à admirer le fruit de la vigne quand il est rouge et sujet à des rages noires quand il est dans son verre. Mais il coupe sec et il sert réglo, et on ne peut pas demander plus à saint Xal lui-même. Dites-lui simplement que c'est Pengle le Squib qui vous envoie, et bonne chance à vous.

Flynn remercia vivement le Squib, embarrassant cet homme rude mais sensible. Lentement tout d'abord, puis avec une hâte de plus en plus grande, il se dirigea vers le Quain, à l'extrémité nord-ouest duquel s'étendaient les nombreuses échoppes et boutiques en plein vent du Marché libre. Et ses espoirs, qui avoisinaient jusqu'ici l'entropie, se mirent à luire à nouveau, faiblement mais distinctement. Dans le caniveau proche, des journaux en lambeaux flottaient sur un courant de sable vers l'éternel et énigmatique désert.

— Hey-ho ! Hey-ho ! Des corps neufs pour les vieux ! Entrez vous faire servir... Des corps neufs pour les vieux !

Marvin frémit lorsqu'il entendit cet ancien cri des rues, si innocent en soi et cependant si chargé de réminiscences de certaines histoires que l'on raconte le soir à la veillée. Il avança parmi le labyrinthe compliqué de ruelles, d'impasses et de cours qui formaient l'ancien Marché libre. Sur son passage, une douzaine de propositions proférées à tue-tête assaillirent ses récepteurs auriculaires.

— On demande des moissonneurs pour Drogheda ! Nous fournissons un corps en parfait état de fonctionnement, avec télépathie ! Logé, nourri, cinquante crédits par mois plus une liste complète de distractions catégorie C-3. On engage maintenant pour des contrats spéciaux de deux ans. Venez faire la moisson sur la belle Drogheda !

— Servez dans l'armée naïgwine ! Vingt corps d'officiers subalternes en réclame, et de nombreuses autres affaires ! Tous nos corps sont entièrement équipés pour les arts martiaux !

— Quelle est la solde ? demanda quelqu'un au vendeur.

— Votre subsistance, plus un crédit par mois.

L'homme eut un sourire et se détourna.

— Plus, ajouta l'aboyeur, droit de pillage illimité.

— Hum, ça me paraît honnête, reconnut l'homme à contrecœur. Mais les Naïgwins sont en train de perdre cette guerre depuis dix ans. Pourcentage élevé de pertes, et peu d'espoir de récupération de corps.

— Nous sommes en train de changer tout cela, affirma le vendeur. Vous êtes un mercenaire qui a de l'expérience ?

— Exact, dit l'homme. Je m'appelle Sean von Ardin, et j'ai fait à peu près toutes les guerres majeures plus pas mal de mineures.

— Dernier grade ?

— Jevaldher dans l'armée du comte de Ganymède, répondit von Ardin. Mais avant cela, j'étais Maître Cthuss.

— Très bien, très bien, dit le vendeur impressionné. Maître Cthuss, hein ? Vous avez des papiers pour le prouver ? Ecoutez, voilà ce que je peux faire. Je peux vous engager chez les Naïgwins comme Manatee supérieur de Seconde classe.

Von Ardin fronça les sourcils, puis calcula sur ses doigts :

— Voyons voir, un Manatee supérieur de Seconde classe est l'équivalent d'un Demivale Cyclopéen, qui est légèrement inférieur en grade à un Porte-bannière anaxoréen et d'un demi-grade inférieur à un Valédictorien dorien, ce qui signifie... Hé, dites donc ! Je perds un grade entier si je m'engage chez vous !

— Mais vous ne m'avez pas laissé finir, fit le vendeur. Vous garderiez ce grade pendant une période de vingt-cinq jours, pour prouver votre Pureté d'Intention, ce à quoi les chefs politiques de Naïgwin tiennent beaucoup. Ensuite, nous vous ferions gravir trois échelons complets en vous nommant Mélanoen supérieur, ce qui vous donnerait une excellente chance d'accéder au corps des Lanciers jumbayas et peut-être même que — je ne peux pas vous le promettre, mais je pense que je pourrais l'obtenir officieusement — *peut-être* que je peux vous décrocher la place de Maître de Sac pour les dépouilles d'Eridsvurg.

— Hum, je ne dis pas non, fit von Ardin, impressionné malgré lui. Si vous réussissez à l'obtenir.

— Entrez dans la boutique, dit le vendeur. Je vais passer un coup de téléphone.

Marvin poursuivit son chemin et écouta des hommes d'une douzaine de races discuter avec des vendeurs d'une douzaine de races différentes. Cent propositions alléchantes furent hurlées à ses oreilles. La vitalité de l'endroit lui regonflait le moral. Et les offres qu'il entendait, si elles le faisaient frémir parfois, étaient souvent énigmatiques :

— On recherche Homme-aphidien pour l'Essaim de Senthis. Bon salaire, conditions de travail agréables.

— On demande rewriter pour œuvrer sur le *Livre Obscène des Kavengii*. Doit avoir l'expérience des usages sexuels de la race midridarienne.

— Jardiniers paysagistes pour Arcturus ! Venez vous reposer parmi les seules créatures végétales intelligentes de la galaxie !

— On recrute chiourme pour Véga IV. Possibilité d'emploi pour agents répressifs semi-qualifiés. Avantages nombreux !

Il y avait tant d'occasions dans la galaxie ! Marvin aurait presque pensé que son infortune était un bienfait déguisé. Il voulait voyager, mais sa modestie naturelle ne lui avait suggéré qu'un rôle de touriste. Ne serait-il pas mille fois plus intéressant de voyager pour une vraie raison ? Servir dans les armées naïgwines, par exemple, ou connaître la vie d'un homme-aphidien, ou même récrire le *Livre Obscène des Kavengii.*

A quelques pas devant lui, il vit une enseigne qui proclamait : « James Virtue McHonnery, Fournisseur agréé des Equipes Temporaires. Satisfaction garantie. »

Derrière un comptoir bas, le cigare aux lèvres, se trouvait un petit homme à l'allure coriace, à la bouche amère et aux yeux bleu de cobalt. Ce ne pouvait être personne d'autre que McHonnery lui-même. Taciturne et hautain, dédaigneux du boniment de ses concurrents, le petit homme attendit les bras croisés que Flynn entre dans son échoppe.

8

Ils se regardèrent un long moment, Marvin Flynn la bouche entrouverte et McHonnery les mâchoires serrées comme une huître. Ce fut ce dernier qui rompit le silence :

— Ecoutez, mon petit gars, ici c'est pas la fête foraine et ma gueule n'est pas à vendre. Si vous avez quelque chose à me dire, dépêchez-vous de cracher le morceau. Sinon, allez voir ailleurs si j'y suis avant que je me mette en rogne.

Marvin comprit tout de suite qu'il n'avait pas affaire à un de ces marchands qui s'aplatissent devant leurs clients et qui n'ont que des paroles mielleuses à la bouche. Il n'y avait nulle trace d'obséquiosité dans cette voix grinçante, nul soupçon de flagornerie dans ces lèvres pincées. Il avait devant lui un homme qui n'hésitait pas à dire le fond de sa pensée sans se soucier des conséquences.

— Je... je suis un client, dit-il.

— La belle affaire! ironisa McHonnery. Et je suis censé faire des cabrioles de joie, ou quoi?

La réplique sardonique et l'attitude franche et sans détours de son interlocuteur inspirèrent à Marvin un sentiment de confiance. Il savait bien que les apparences peuvent être trompeuses, mais personne ne lui avait jamais expliqué sur quoi juger si ce n'est sur les apparences. Il était donc enclin à se fier à cet homme digne et amer.

— Je dois être dépossédé de ce corps d'ici quelques heures, expliqua Marvin. Comme mon corps à moi m'a été volé, il m'en faut un autre de toute urgence. Je ne suis pas très riche, mais je... je suis prêt à travailler s'il le faut.

McHonnery le dévisagea, et un sourire sardonique tordit ses lèvres hermétiques.

— Prêt à travailler, hein? Si ce n'est pas mignon! Et vous voulez travailler à quoi, exactement?

— Euh... n'importe quoi.

— Ouais? Vous savez manœuvrer un tour Montcalm à métal avec commandes photosensibles et récupérateur manuel? Non? Vous pourriez peut-être vous servir d'un séparateur de particules Quick-Greeze pour la Compagnie des Nouvelles Terres Rares? Pas tout à fait votre rayon, hein? Ou bien il y a un chirurgien sur Véga qui demande quelqu'un pour faire fonctionner son Simulateur de Réjection d'Influx Nerveux (l'ancien modèle avec double pédale). Pas tout à fait ce que vous aviez en tête, hein? Que diriez-vous d'être joueur de stomasaxo dans un orchestre de jazz de Potemkine II, ou cuisinier de spécialités cthussiennes dans un restaurant près de Boötes? Ça ne vous dit rien? Vous préféreriez cueillir des fleurs sur Moriglia? Naturellement, il vous faudrait savoir prédire l'anthèse avec une marge de variation inférieure à cinq secondes. Vous pourriez aussi faire du soudage sur chair si vous avez les nerfs suffisamment solides, ou organiser un programme de récupération de phylopodes, ou encore... mais je vois que vous n'êtes pas emballé, hein ?

Flynn secoua négativement la tête en murmurant :

— C'est que je ne connais aucun de ces métiers, monsieur.

— Voyez-vous, cela ne me surprend pas autant que vous pourriez le croire. Y a-t-il quelque chose que vous sachiez faire ?

— A l'université, j'étais inscrit...

— Je ne vous demande pas l'histoire de votre vie ! Ce qui m'intéresse, ce sont vos talents, capacités, aptitudes pratiques, tout ce que vous voudrez. Qu'est-ce que vous savez faire de particulier ?

— C'est-à-dire, fit Marvin, que si vous présentez le problème sous cet angle-là, je ne sais pas faire tellement de choses.

— Je sais, soupira McHonnery. Vous êtes sans qualification. C'est écrit sur votre visage. Si ça vous intéresse de le savoir, mon garçon, des psychés non qualifiées, il y en a autant que des grains de sable sur Mars, et même plus. Le marché en est encombré, l'univers en est saturé. Sachez qu'il n'y a rien que vous êtes capable de faire qu'une machine ne puisse faire mieux, plus vite et mille fois plus agréablement.

— Désolé que vous me disiez ça, monsieur, fit Marvin tristement mais avec dignité. Il se prépara à sortir.

— Attendez une seconde, où allez-vous comme ça ? demanda McHonnery. Je croyais que vous vouliez du travail.

— Mais vous venez de dire...

— J'ai dit que vous étiez sans qualification, ce qui est exact. Et j'ai dit qu'une machine pourrait faire ce que vous feriez beaucoup mieux, beaucoup plus vite et beaucoup plus agréablement. Mais je n'ai pas dit qu'elle le ferait pour moins cher !

— Oh ! fit Marvin.

— Oui, question prix de revient, vous faites encore la

pige aux gadgets. Et à l'époque où nous vivons c'est toujours mieux que rien. J'ai toujours considéré qu'une des gloires de l'humanité était qu'en dépit de tous ses efforts elle n'a jamais jusqu'ici tout à fait réussi à se rendre superflue. Voyez-vous, mon garçon, notre instinct nous ordonne de multiplier, et notre intelligence de conserver. Nous sommes comme un père qui a plusieurs fils, mais s'arrange pour les déposséder tous sauf l'aîné. Nous disons que l'instinct est aveugle, mais l'intelligence l'est aussi. L'intelligence a ses passions, ses amours et ses haines ; malheur au logicien dont la superbe rationalité ne repose pas sur une base solide d'émotions brutes. Faute d'une telle base, nous le taxons... d'irrationalité !

— Je ne le savais pas, dit Marvin.

— C'est pourtant évident. Le but de l'intelligence est de mettre toute cette fichue race humaine au chômage. Heureusement, cela ne risque pas d'arriver jamais. L'homme battra toujours la machine. Sur le plan du labeur brutal, il y aura toujours de la place pour les laissés-pour-compte.

— Je suppose que c'est une consolation, dit Flynn sans trop de conviction. Tout cela est bien sûr très intéressant, mais lorsque Pengle le Squib m'a recommandé de venir vous voir, je croyais...

— Comment ? s'écria McHonnery. Vous êtes un ami du Squib ?

— En quelque sorte.

— Vous auriez dû le dire tout de suite. Non pas que cela aurait changé quoi que ce soit, car les faits sont exactement tels que je vous les ai décrits. Mais je vous aurais dit qu'il n'y a aucune honte à être dépourvu de qualification ; il faut bien commencer par là, n'est-ce pas ? Si vous vous débrouillez comme il faut dans les Equipes Temporaires, vous aurez en un rien de temps toute la qualification désirée.

— Je l'espère, dit Flynn, devenu prudent maintenant

52

que McHonnery se montrait affable avec lui. Est-ce que vous avez en vue un travail pour moi ?

— Effectivement j'en ai un, fit McHonnery. C'est un engagement d'une semaine, une tâche agréable et variée combinant un léger exercice physique avec une modeste dose de stimulation intellectuelle, le tout dans un cadre plaisant, avec une direction éclairée et de sympathiques compagnons de travail.

— Cela me paraît merveilleux, dit Flynn. Qu'est-ce qu'il y a comme inconvénients ?

— Eh bien, ce n'est pas le genre d'emploi qui vous rendra riche. En réalité, la paye est misérable. Mais on ne peut pas tout avoir, que voulez-vous. Une semaine d'embauche vous donnera le temps de vous retourner, de discuter avec vos compagnons et de trouver une nouvelle voie par vous-même.

— En quoi consiste ce travail ? demanda Marvin Flynn.

— Vous aurez le titre officiel d'Indagateur Ootheca de Seconde classe.

— C'est très impressionnant.

— Heureux que cela vous plaise. Ça signifie que vous serez chercheur d'œufs.

— D'œufs ?

— D'œufs. Pour être plus précis, vous chercherez et, après les avoir trouvés, vous ramasserez des œufs de ganzer des rocs. Vous pensez être capable de vous débrouiller ?

— Euh... j'aimerais avoir de plus amples renseignements sur la technique de ramassage, ainsi que sur les conditions d'emploi et...

Il se tut, car McHonnery était en train de secouer lentement et tristement la tête :

— Vous verrez tout cela quand vous serez sur place. Je ne suis pas une agence de voyages et vous n'êtes pas en train de choisir une croisière. Vous voulez la place ou pas ?

— Avez-vous autre chose de disponible ?

— Non.

— Alors j'accepte.

— C'est une sage décision, dit McHonnery en sortant un papier de sa poche. Voici le contrat agréé par le gouvernement et rédigé en kro-meldien, qui est la langue officielle de la planète Melde II où se trouve le siège de la compagnie qui vous emploie. Lisez-vous le kro-meldien ?

— J'ai bien peur que non.

— Dans ce cas, je vais vous traduire les clauses essentielles comme le requiert la loi. Voyons... la Compagnie décline toute responsabilité en cas d'incendie, tremblement de terre, désintégration du noyau atomique, nova, acte de dieu ou des dieux, etc. La Compagnie consent à vous engager pour le salaire de un crédit par mois, plus le transport jusqu'à Melde où elle vous fournira un corps meldien ; vous serez équipé, nourri et logé par la Compagnie qui veillera à votre santé et à votre sécurité sauf lorsqu'elle ne sera pas en mesure de le faire, auquel cas elle ne le fera pas et vous ne pourrez pas lui tenir rigueur de sa carence. En échange de ces services et de quelques autres, vous accomplirez les tâches qui vous seront assignées dans le cadre exclusif de la recherche et de la collecte des œufs de ganzer. Et que Dieu ait pitié de votre âme.

— Je vous demande pardon ? fit Marvin.

— Oh, ce n'est qu'une formule traditionnelle. Voyons, je crois que c'est à peu près tout. Vous vous engagez, naturellement, à ne pas commettre d'actes de sabotage, d'espionnage, d'irrévérence, de désobéissance, etc., et à vous abstenir de vous livrer à la pratique de perversions sexuelles telles que les définit Hoffmeyer dans son Traité des Perversions meldiennes. Et vous vous engagez aussi à ne pas provoquer une guerre, ou à ne pas participer à une guerre sur Melde, à vous laver tous les deux jours, à ne pas faire de dettes, à ne pas devenir alcoolique ou malade mental et à toute une série d'autres choses qu'aucune personne sensée ne saurait contester. Je ne vois rien d'autre. Si vous avez une question importante à poser, je vais m'efforcer d'y répondre.

— Euh... pour toutes ces choses que je suis censé m'engager à ne pas faire...

— Ce n'est pas important, dit McHonnery. Vous voulez la place ou vous ne la voulez pas ? Un simple oui ou non suffira.

Marvin avait des doutes, mais comme il n'avait guère le choix ces doutes étaient inopportuns. Il pensa un instant au détective, mais écarta fermement cette pensée. Comme l'avait dit McHonnery, une semaine de n'importe quel travail ne pouvait pas être si terrible que ça. Il donna donc son accord en activant l'espace psychosensible au bas de la page. McHonnery le conduisit au Centre de Transfert, où les psychés étaient transmises dans tous les coins de la galaxie à un multiple de la vitesse de la pensée.

C'est ainsi que Marvin se retrouva sur Melde, dans un corps meldien.

9

La Forêt des Pluies de Melde était large et profonde ; une brise infime faisait bruire les arbres géants aux lianes entrelacées et onduler l'herbe crochue. Des gouttes d'eau glissaient péniblement dans le feuillage enchevêtré comme des coureurs épuisés à la sortie d'un labyrinthe et mouraient lourdement sur un sol spongieux et indifférent. Des ombres dansaient et se transformaient, disparaissaient et réapparaissaient au gré de deux soleils fatigués évoluant dans un ciel vert-de-gris. Dans la voûte feuillue, un thérengol solitaire appela sa compagne et reçut pour toute réponse le rauquement lugubre d'un kingspringer prédateur. C'est dans cet oppressant décor, si étrangement ressemblant à la Terre et pourtant tellement différent, que Marvin Flynn se mouvait dans son nouveau corps meldien, les yeux baissés, cherchant des œufs de ganzer dont il ne savait même pas comment ils étaient faits.

Tout s'était passé précipitamment. Depuis le moment de son arrivée sur Melde, c'est tout juste s'il avait eu le temps de s'examiner. Il s'était à peine corporalisé que quelqu'un aboyait déjà un ordre à ses oreilles. Il avait seulement eu le temps de jeter un rapide coup d'œil à ses quatre bras et à ses quatre jambes, d'essayer un unique coup de queue et de replier ses oreilles le long de son dos ; puis on lui avait assigné une équipe de travail, un numéro de baraquement et de réfectoire, et distribué un bleu de travail deux fois trop grand pour lui et des chaussures qui auraient pu aller à l'exception du pied avant gauche. On lui remit, contre signature, les outils de son nouveau métier : un grand sac en plastique, des lunettes noires, une boussole, une paire de pinces, un lourd trépied en métal et un fulgureur.

Ses compagnons et lui furent ensuite rassemblés devant le directeur, un Atréien dédaigneux et blasé qui leur fit un rapide exposé de ce que l'on attendait d'eux.

Flynn apprit que sa nouvelle résidence occupait une infime portion d'espace dans un secteur avoisinant Aldébaran et que c'était en tout point un monde de second ordre. Son climat était coté « intolérable » dans l'Echelle de Tolérance Climatique de Hurlihan-Chanz ; ses ressources naturelles potentielles étaient qualifiées de « submarginales » et son coefficient de résonance esthétique (non pondéré) portait la mention « peu engageant ».

— Ce n'est pas tout à fait, commenta le directeur, le genre d'endroit que l'on choisirait pour y passer des vacances ni même à vrai dire pour s'y livrer à quelque occupation que ce soit à l'exception de la plus extrême mortification.

Il y eut divers mouvements dans l'auditoire.

— Néanmoins, poursuivit le directeur, cet endroit détesté et haïssable, cette médiocrité solaire, cet accident cosmique est considéré par ses habitants comme le plus bel endroit de l'univers.

Les Meldiens, farouchement fiers de leur seul capital tangible, avaient de leur mauvais marché tiré le meilleur parti. Avec la détermination tenace de l'éternel malchanceux, ils avaient cultivé les abords de la Forêt des Pluies et extrait de maigres minerais de leurs vastes déserts. Leur opiniâtreté aurait pu être exemplaire et leurs efforts considérés comme un tribut à l'esprit de lutte héroïque de la vie s'ils ne s'étaient pas invariablement soldés par des échecs. Car malgré toute leur bonne volonté, les Meldiens n'avaient pu s'assurer beaucoup mieux que la perspective d'une lente famine dans l'immédiat et une menace de dégénérescence raciale puis d'extinction à plus ou moins longue échéance.

— Voilà quelle est la situation sur Melde, poursuivit le directeur, ou plutôt voilà ce qu'elle serait si un facteur nouveau n'était intervenu. Ce facteur, c'est la différence entre le succès et l'échec, la réussite et la déchéance. Je fais allusion, bien sûr, à l'existence des œufs de ganzer.

« Les œufs de ganzer ! répéta le directeur. Aucune autre planète n'en possède ; aucune autre n'en a si désespérément besoin. Les œufs de ganzer ! Nul objet dans tout l'univers connu ne symbolise aussi clairement ce qui est désirable. Mais que sont les œufs de ganzer ? »

Les œufs de ganzer constituaient la seule marchandise exportable de la planète Melde. Heureusement pour les Meldiens, ils étaient partout extrêmement demandés. Sur Orichades, on les utilisait comme grigris d'amour ; sur Opiuchus II, on en faisait une poudre qui passait pour un aphrodisiaque souverain ; sur Morichades, après avoir été l'objet d'une consécration, ils étaient adorés par les K'tengi. Un grand nombre d'autres usages pouvaient être cités.

En somme, les œufs de ganzer étaient pour les Meldiens leur seule ressource vitale, la seule qui leur permît de maintenir sur leur planète un niveau de civilisation acceptable. Sans eux, la race était inexorablement condamnée à périr.

Pour entrer en possession d'un œuf de ganzer, il suffisait de le ramasser. Mais c'est là que certaines difficultés apparaissaient car les ganzers, pour des raisons à eux, désapprouvaient cette pratique.

Descendant plus ou moins du lézard, les ganzers étaient sylvicoles. C'étaient aussi des destructeurs, habiles dans l'art du camouflage, rusés et féroces et totalement inapprivoisables. Ces particularités rendaient la collecte des œufs de ganzer extrêmement périlleuse.

— Il est curieux de constater, fit remarquer le directeur, que la principale source de vie sur Melde est en même temps la plus grande cause de mort. Il y a là un paradoxe que je vous demande de méditer soigneusement avant de commencer votre première journée de travail. Ecoutez mon conseil, prenez bien soin de vous, soyez perpétuellement vigilants et ne risquez pas inconsidérément le corps précieux qui vous a été confié. Mais d'un autre côté, souvenez-vous que vous devez remplir la norme et que chaque journée de travail où il manquera ne serait-ce qu'un œuf sera pénalisée par une semaine supplémentaire. Soyez donc prudents, mais pas trop prudents, persévérants mais pas aveuglément, courageux mais pas téméraires. Suivez ces sages recommandations et vous n'aurez aucun ennui. Bonne chance, les gars !

Marvin et ses compagnons furent ensuite alignés deux par deux et conduits dans la forêt au pas de gymnastique. Moins d'une heure plus tard, ils atteignirent leur destination. Marvin en profita pour demander des instructions au contremaître.

— Instructions ? fit le contremaître. Quel genre de sorte instruction ? (C'était un émigré orinathien, sans aptitude pour les langues.)

— Qu'est-ce qu'il faut que je fasse ? demanda Marvin.

Le contremaître parut méditer la question, et répondit enfin :

— Vous ramassez œufs de ganzer. (Curieusement, il prononçait : « gâtseur ».)

— Je sais, dit Flynn. Mais j'ignore à quoi ils ressemblent.

— Pas se faire du souci, répondit le contremaître. Quand vous voir œuf reconnaître oui pour sûr.

— D'accord, dit Marvin. Et quand j'aurai trouvé un œuf, y a-t-il des précautions spéciales à employer pour le manipuler ? Est-ce qu'il risque de se casser ou...

— Pour prendre œuf, ramasser œuf, mettre dans sac. Vous comprendre oui ou non ?

— Bien sûr que je comprends, dit Marvin. Mais j'aimerais aussi avoir une idée du quota qui nous est demandé. Est-ce qu'il y a un rendement horaire minimum, et comment sait-on quand la norme est atteinte ?

— Ah ! fit le contremaître dont la figure épaisse et bon enfant s'illumina d'un sourire de compréhension. Pour finir c'est comme ça. Vous prenez œuf, vous mettez œuf dans sac. Ecoute ?

— Ecoute, s'empressa de dire Marvin.

— Vous faites comme ça toujours jusqu'à sac tout plein. Comprendre ?

— Je crois saisir à peu près, dit Marvin. La capacité du sac représente le quota réel ou idéal. Récapitulons point par point afin d'être absolument sûr que rien ne m'échappe. Tout d'abord, je repère l'œuf de ganzer en utilisant des critères analogiques fondés sur des concepts terriens qui m'amènent à une identification théoriquement sans problème. Deuxièmement, ayant localisé et identifié l'objet désiré, je commence à le « mettre dans le sac », c'est-à-dire j'imagine que je le soulève manuellement pour débuter l'opération et que j'accomplis les gestes adéquats qui me permettront de mener à bien cette phase vitale. Troisièmement, répétant cette stratégie S un nombre x de fois, j'aboutis à l'équation $Sx = C!$, où C représente la capacité du sac et $!$ la somme totale des x opérations nécessaires pour compléter B. Finalement, la somme de toutes les stratégies une fois atteinte, je retourne au camp où je vide mon sac. Est-ce que je n'ai rien oublié ?

Le contremaître se tapota les dents avec sa queue en disant :

— On se ficher de moi, hein mon gars ?

— Mais pas du tout, monsieur, je voulais seulement être bien sûr...

— On se faire grosse plaisanterie avec pauvre péquenot orinathien, hein ? Oui. On se croire maiin, mais pas être malin. Ici pas aimer fortes têtes. Jamais oublier ça, oui non.

— Je suis désolé, monsieur, fit Marvin en remuant la queue avec déférence. (Mais il n'était pas désolé. C'était sa première velléité de révolte depuis la succession d'événements qui l'avaient précipité là où il se trouvait, et il était heureux de constater qu'il était encore capable d'un trait d'humour, aussi déplacé et mal à propos fût-il.)

— Je croire vous saisi suffisamment rudiments du métier très bien pour pouvoir accomplir *grosse* tâche et tenir tranquille ou moi casser six ou plus membres à vous, comprendre ?

— Comprendre, dit Flynn et il s'éloigna au petit galop vers l'endroit de la forêt où il devait commencer sa collecte des œufs de ganzer.

10

Tout en s'orientant, Marvin spéculait sur l'apparence exacte d'un œuf de ganzer. Il aurait également voulu savoir à quoi servait son équipement. Les lunettes de soleil n'avaient aucune utilité dans les obscurs sous-bois, et le lourd trépied était incompréhensible.

Lentement il avançait à travers la forêt, les narines dilatées, les yeux mobiles au bout de leur support tendu. Son cuir doré, subtilement parfumé d'appisthym, frémissait en harmonie avec ses muscles puissants, en apparence détendus mais en réalité prêts à entrer en action à la moindre sollicitation.

La sylve était une symphonie de verts et de gris ponctués çà et là par le thème incarnat d'une vigne sauvage ou l'inflorescence vermeille d'un lillibabba. L'impression d'ensemble, cependant, était sombre et propice à la méditation, comme par exemple le spectacle d'un vaste parc d'attractions dans le silence des petites heures du matin.

Mais là! Un peu plus loin sur la gauche! Oui, juste au pied de ce bhoku! Ne serait-ce pas... Ne se pourrait-il pas...?

Flynn écarta délicatement les feuilles de ses bras droits et se pencha au ras du sol. Dans un nid d'herbe et de brindilles, il vit un ovoïde étincelant qui ressemblait approximativement à un œuf d'autruche incrusté de pierres précieuses.

Le contremaître avait raison. On ne pouvait pas manquer d'identifier un œuf de ganzer.

Observant soigneusement cet objet singulier et recensant ses impressions, Marvin fut ébloui par un million de feux multicolores. Sur toute la surface incurvée dansaient des ombres semblables au parfum d'un rêve à moitié oublié, se tordant et se déformant comme des émanations spectrales. Une intense émotion étreignit Marvin, une vision crépusculaire de paisibles troupeaux paissant auprès d'un clair ruisseau, de cyprès au cœur lourd au bord d'une route blanche.

Bien que cela meurtrît sa sensibilité, Marvin se baissa

dans l'intention bien arrêtée de saisir l'œuf de ganzer et de le séquestrer dans le sac en plastique. Ses mains s'arrondirent avec amour autour de l'ovoïde étincelant.

Il les retira promptement. L'ovoïde étincelant était plus brûlant que l'enfer.

Marvin contempla l'œuf de ganzer avec un respect renouvelé. Il comprenait maintenant l'utilité des pinces dont on l'avait équipé. Il les sortit, les mit en position et les referma doucement sur le sphéroïde de rêve.

Le sphéroïde de rêve bondit brusquement comme une balle en caoutchouc. Marvin le poursuivit au galop en brandissant tant bien que mal son filet. L'œuf de ganzer rebondit en direction des fourrés plus profonds. Marvin ne sachant plus que faire lança son filet. La chance guida sa main. L'œuf de ganzer fut proprement capturé. Il resta immobile, pantelant comme s'il reprenait sa respiration. Marvin s'approcha prudemment, prêt à réagir à la moindre ruse.

Mais l'œuf de ganzer se mit à parler :

— Dites donc, mon ami, dit-il d'une voix étouffée. Qu'est-ce qui vous prend ?

— Pardon ? demanda Marvin.

— Non mais, reprit l'œuf de ganzer. Est-ce que ce sont des façons ? Je suis bien tranquille dans un jardin public, je ne vous connais même pas et vous vous jetez sur moi comme un fou en me faisant mal à l'épaule et en agissant de manière générale comme si vous étiez échappé d'un asile. Alors, naturellement je ne suis pas content. Qui le serait à ma place ? Je décide d'aller un peu plus loin, parce que c'est mon jour de congé et que je ne veux pas d'histoires. Mais voilà que vous me lancez un filet comme si j'étais un fichu poisson ou un papillon. Il me semble que j'ai droit à une explication : Où diable voulez-vous en venir ?

— Mais, fit Marvin, vous êtes un œuf de ganzer.

— Vous croyez que je ne le sais pas ? demanda l'œuf de

ganzer. Et alors ? Il y a une loi qui m'empêche d'être un œuf de ganzer ?

— Non, dit Marvin. Mais il se trouve que je ramasse les œufs de ganzer.

Il y eut un bref silence. Puis l'œuf de ganzer demanda :

— Voudriez-vous répéter ce que vous venez de dire ?

Marvin répéta.

— Hum, c'est bien ce que j'avais cru entendre, dit l'œuf de ganzer. Il eut un rire faible. Vous plaisantez, n'est-ce pas ?

— Désolé, pas du tout.

— Si, si, vous plaisantez, j'en suis sûr, fit l'œuf de ganzer avec une nuance de désespoir dans la voix. Ecoutez, maintenant que vous vous êtes bien amusé, laissez-moi sortir d'ici.

— Désolé...

— Laissez-moi partir !

— Je ne peux pas.

— Pourquoi pas ?

— Parce que je ramasse les œufs de ganzer.

— Oh, mon Dieu ! Je n'ai jamais rien entendu de si insensé de ma vie. Vous ne me connaissez pas, n'est-ce pas ? Alors pourquoi voulez-vous me ramasser ?

— C'est mon travail, dit Marvin.

— Ecoutez, mon vieux. Vous n'allez pas me dire que vous ramassez tous les œufs de ganzer que vous rencontrez ?

— C'est pourtant vrai.

— N'importe lesquels ? Vous n'en cherchez pas un en particulier, qui vous aurait fait quelque chose peut-être ?

— Pas du tout. Je n'avais jamais vu d'œufs de ganzer auparavant.

— Vous n'avez jamais... et cependant vous ramassez... ? J'ai dû perdre l'esprit. Je rêve, assurément. Ces choses-là ne peuvent pas arriver dans la réalité, c'est le genre de trucs qu'on ne fait que dans les cauchemars, vous marchez tranquillement dans la rue et un type surgi de nulle part vous accoste et vous dit d'une voix de pince-sans-rire : « Excusez-moi, mais je ramasse des œufs de ganzer... » Non, vous voulez me faire marcher, hein, dites, hein ?

Marvin était embarrassé et également exaspéré, et il aurait voulu que l'œuf de ganzer se tût. Il grogna :

— Je ne vous fais pas marcher. Mon travail consiste à ramasser des œufs de ganzer.

— Ramasser... des œufs de ganzer, gémit l'œuf de ganzer. Oh, non ! Non ! Ce n'est pas possible ! Mon Dieu, je ne peux pas croire que tout cela soit en train de m'arriver, et pourtant c'est réellement en train de m'arriver, c'est...

— Ressaisissez-vous, dit Marvin. L'œuf de ganzer était visiblement au bord de l'hystérie.

— Merci, dit l'œuf de ganzer au bout d'un moment. Je me sens mieux maintenant. Je ne voulais pas... me donner en spectacle.

— Ce n'est rien, dit Marvin. Etes-vous prêt à vous laisser ramasser maintenant ?

— Je... j'essaie de me faire à l'idée... C'est tellement... tellement... Ecoutez, me permettez-vous de vous poser une question, juste une seule ?

— Dépêchez-vous, dit Marvin.

— Voilà... Je ne sais pas comment m'exprimer... mais éprouvez-vous une sorte de satisfaction à faire ça ? Je ne voudrais pas vous offenser.

— Ça ne fait rien, dit Marvin. Non, je ne suis pas un pervers, et je puis vous assurer que je n'éprouve aucun plaisir à faire cela. Je fais simplement mon travail.

— Il fait simplement son travail ! répéta l'œuf de ganzer. Son travail ! Kidnapper un œuf de ganzer qu'il ne connaît même pas ! Son travail ! Comme s'il ramassait un caillou. Mais moi je ne suis pas un caillou, je suis un œuf de ganzer !

— Je sais, dit Marvin. Croyez-moi, tout cela m'est particulièrement pénible.

— Vous trouvez ça pénible ! hurla l'œuf de ganzer, à nouveau au bord de l'hystérie. Et qu'est-ce que je devrais dire, moi ? Croyez-vous que cela m'amuse d'être ramassé par un étranger comme dans un horrible cauchemar ?

— Calmez-vous, dit Marvin.

— Excusez-moi. Je me suis laissé aller.

— Je suis navré de toute cette histoire, dit Marvin. Mais voyez-vous, j'ai mon travail à faire, et mon quota à respecter, et si je ne le fais pas je risque d'être condamné à passer ici le restant de mes jours.

— Complètement fou, murmura pour lui-même l'œuf de ganzer. Ce type-là est totalement insensé.

— Il faut donc que je vous ramasse, termina Marvin en allongeant la main.

— Attendez ! s'écria l'œuf de ganzer d'une voix tellement saisie de panique que Marvin hésita.

— Qu'est-ce qu'il y a, maintenant ?

— Est-ce que... est-ce que je peux laisser un mot pour ma femme ?

— Il n'y a plus le temps, dit Marvin fermement.

— Alors, permettez-moi au moins de dire mes prières ?

— Allez-y, dites vos prières, accepta Marvin. Mais tâchez de faire vite.

— Oh Seigneur ! psalmodia l'œuf de ganzer. Je ne comprends pas ce qui est en train de m'arriver, ni pourquoi. Je me suis toujours efforcé d'être vertueux, et bien que je n'aille pas régulièrement à l'église vous devez savoir que c'est au fond du cœur qu'est la vraie religion. J'ai parfois mal agi dans ma vie, je ne le nie pas, mais Seigneur, pourquoi ce châtiment ? Pourquoi pas quelqu'un d'autre, quelqu'un de réellement mauvais, un criminel ? Pourquoi moi, ô mon Dieu ? Et pourquoi de cette manière ? On veut me *ramasser* comme si j'étais une vulgaire *chose*... Et je ne comprends pas.

« Mais je sais aussi que Vous êtes Juste et Tout-Puissant, et je sais aussi que Vous êtes Bon, et j'imagine donc qu'il doit y avoir une Raison... même si je suis trop

65

stupide pour la voir. Aussi, Seigneur, si telle est Votre volonté, je l'accepte. Mais pourriez-vous veiller sur ma femme et mes enfants ? Et pourriez-vous veiller tout spécialement sur le dernier-né ? (L'œuf de ganzer étouffa un sanglot.) Je vous demande de veiller spécialement sur le dernier-né, Seigneur, parce qu'il est infirme, et que les autres enfants se moquent de lui et qu'il a besoin de beaucoup... beaucoup d'amour. Amen. »

L'œuf de ganzer eut un nouveau sanglot, mais se reprit presque aussitôt. Ce fut d'une voix ferme et dure qu'il ajouta :

— Allez-y, je suis prêt. Faites votre sale boulot, espèce de fils de garce.

Mais la prière de l'œuf de ganzer avait désarmé Marvin complètement. Les yeux humides et les fanons tremblants, il desserra le filet et laissa échapper son captif. L'œuf de ganzer roula à bonne distance et s'immobilisa, craignant visiblement un piège.

— Vous... vous me laissez vraiment partir ? demanda-t-il.

— Oui, dit Marvin. Je ne suis pas fait pour ce genre de travail. Je ne sais pas ce qu'ils vont me faire quand je vais retourner au camp, mais je ne me sens pas capable de ramasser jamais un seul œuf de ganzer.

— Loué soit le nom du Seigneur ! murmura doucement l'œuf de ganzer. J'ai vu d'étranges choses dans ma vie, mais ceci ressemble étrangement à la Main de la Providence...

L'hypothèse de l'œuf de ganzer (encore connue sous le nom de Préjugé Interventionniste) fut soudain interrompue par un froissement sinistre dans les fourrés voisins. Marvin fit volte-face, et se souvint soudain des dangers de la planète Melde. On l'avait prévenu, mais il avait oublié. Et maintenant, pris de panique, il essayait de sortir son fulgureur qui s'était emmêlé dans le filet. Il tira d'un coup sec, l'arracha au filet, entendit le cri d'avertissement strident de l'œuf de ganzer...

Puis il se sentit projeté violemment sur le sol. Le fulgureur vola dans les fourrés. Et Marvin se trouva nez à nez avec une paire d'yeux fendus surmontés par un front écailleux.

Les présentations n'étaient pas nécessaires. Flynn savait qu'il venait de tomber sous les pattes d'un ganzer adulte de bonne taille. Et les circonstances étaient accablantes. Non loin de là gisait le filet accusateur, à côté des lunettes et des pinces.

La mâchoire hérissée du gigantesque saurien était en train de se refermer sur lui, si près de son cou que Marvin aperçut trois molaires en or et un plombage temporaire.

Flynn essaya de se libérer. Le ganzer le plaqua au sol avec une patte de la taille d'une selle de yack. Ses griffes cruelles, dont chacune était aussi grande qu'une pince à glace, s'enfonçaient sans pitié dans le cuir doré de Marvin. Les mâchoires baveuses béèrent horriblement et descendirent lentement, prêtes à engloutir sa tête tout entière.

11

Soudain... le temps se figea ! Marvin Flynn vit les monstrueuses mâchoires s'arrêter à mi-course, l'œil gauche injecté de sang s'immobiliser au milieu d'un battement de paupière et le corps du ganzer tout entier assumer une étrange et totale rigidité.

Tout près de là, l'œuf de ganzer ne bougeait pas plus que s'il avait été une statue taillée dans de l'albâtre.

La brise avait été stoppée dans son élan. Les arbres étaient paralysés dans des postures d'effort, et un épervier mérithéen était cloué en plein vol comme un cerf-volant retenu par un fil.

Le soleil avait interrompu sa course inexorable !

Au milieu de cet étrange tableau, l'attention trémulante de Marvin fut attirée par un unique mouvement à un mètre au-dessus de sa tête et légèrement sur sa gauche.

Cela commença comme un minuscule tourbillon de poussière qui grandit, se dilata, enfla, s'épaissit à la base et devint convexe au sommet. La rotation s'accéléra, et des contours se précisèrent.

— Le détective Urdorf ! s'écria Marvin. Car c'était le détective martien malchanceux qui avait promis de s'occuper de l'affaire de Marvin et de lui restituer son corps légitime.

— Navré de vous tomber dessus à l'improviste, dit Urdorf en finissant de se matérialiser et en se laissant choir lourdement sur le sol.

— Au contraire vous tombez à pic, dit Marvin. Vous venez de m'éviter une fin extrêmement déplaisante. Si vous voulez bien m'aider à me dégager de dessous cette créature…

En effet, il était toujours cloué au sol par la patte du ganzer qui avait maintenant la rigidité de l'acier trempé et dont malgré tous ses efforts il ne parvenait pas à se libérer.

— Désolé, dit le détective en s'époussetant la manche, mais je ne peux pas faire ça.

— Pourquoi pas ?

— Parce que c'est contraire au règlement. Voyez-vous, tout déplacement de corps effectué au cours d'une Suspension temporelle artificiellement provoquée (ce qui est le cas) risque de causer un Paradoxe, ce qui est rigoureusement interdit car il pourrait en résulter une implosion temporelle dont les effets seraient d'altérer gravement les lignes structurales de notre continuum et de mettre en danger l'existence de l'univers. C'est pourquoi le moindre déplacement est passible d'une peine d'un an de prison et d'une amende de mille crédits.

68

— Ah, je ne savais pas, dit Marvin.

— Malheureusement c'est comme ça, dit Urdorf.

— Je vois, dit Marvin.

— J'espérais bien que vous comprendriez, dit Urdorf.

Il y eut un long silence inconfortable. Puis Marvin demanda :

— Eh bien ?

— 'Mande pardon ?

— J'ai dit — ou plutôt, je voulais dire : Quel est l'objet de votre visite ?

— Ah, dit le détective. Je voulais vous poser un certain nombre de questions qui ne m'étaient pas venues à l'esprit la dernière fois et qui pourraient s'avérer utiles à l'occasion de la poursuite de mon enquête.

— Posez, dit Marvin.

— Merci. Tout d'abord et pour commencer, quelle est votre couleur préférée ?

— Le bleu.

— Mais quel nuance de bleu particulièrement ? Veuillez répondre exactement.

— Œuf de rouge-gorge.

— Hmmm. Le détective nota cela dans son carnet. Et maintenant, veuillez me dire sans réfléchir le premier nombre qui vous vient à l'esprit.

— 87792,3, répondit Marvin sans hésitation.

— Hum hum. Voyons, en répondant le plus vite possible, vous allez me dire le premier titre de chanson auquel vous pensez.

— La rhapsodie de l'orang-outan, dit Marvin.

— Mmmmm, parfait, fit le détective en refermant son carnet d'un coup sec. Cela devrait suffire comme ça.

— Et quel est l'objet de toutes ces questions ?

— Grâce aux données que j'ai recueillies, je vais pouvoir soumettre divers suspects à des tests de corporalité résiduelle. Cela fait partie du processus d'identification de Duulman.

— Ah, dit Marvin. Avez-vous eu de la chance jusqu'à présent ?

— La chance n'a rien à voir dans tout cela, répondit Urdorf. Mais je puis dès maintenant vous assurer que l'affaire suit son cours d'une manière satisfaisante. Nous avons retrouvé la trace de l'escroc sur Iorama II où il s'est embarqué clandestinement à bord d'un cargo transportant du bœuf congelé à Goera Major. A Goera, il a réussi à se faire passer pour un fugitif de Hage XI, ce qui lui a gagné une certaine faveur populaire. Il a ensuite réussi à trouver l'argent de son passage pour Kvanthis, où il avait planqué son magot. Après être resté moins de deux jours à Kvanthis, on sait qu'il a pris l'omnibus en direction de la Région Autonome des Cinquante Etoiles.

— Et ensuite ? demanda Marvin.

— Là, nous avons provisoirement perdu sa trace. La Région des Cinquante Etoiles ne comporte pas moins de quatre cent trente-deux systèmes planétaires représentant une population totale de trois cents milliards d'habitants. Comme vous le voyez, nous avons du pain sur la planche.

— Ça me paraît sans espoir, dit Marvin.

— Au contraire, toutes les chances sont de notre côté. Le profane confond toujours difficulté et complexité. Notre bandit ne trouvera aucun refuge dans la multiplicité, toujours susceptible d'être analysée statistiquement.

— Que va-t-il se passer maintenant ?

— Nous continuons à analyser, puis nous ferons une projection basée sur les probabilités et nous répandrons notre projection à travers la galaxie pour voir si elle devient nova... Je parle au figuré, évidemment.

— Evidemment, dit Marvin. Mais pensez-vous pouvoir le retrouver ?

— Je ne doute pas du résultat, dit le détective Urdorf. Mais vous devez vous armer de patience. N'oubliez pas que la criminalité intergalactique est un phénomène relativement récent, et donc que la recherche criminelle intergalactique est encore plus récente. Il existe des crimes où même l'existence du criminel n'a pu être prouvée, donc à plus forte raison décelée. Sous certains aspects, nous sommes déjà bien partis.

— Je ne puis que vous croire sur parole, dit Marvin.

— En tout cas, ne vous inquiétez surtout pas. Dans des cas de ce genre, le mieux pour la victime est de continuer à vivre comme si de rien n'était et de ne pas se laisser aller au désespoir. J'espère que vous ne l'oubliez pas.

— J'essaie, dit Marvin. Mais à propos de ma situation présente…

— C'est justement ce contre quoi je vous avais mis en garde, dit le détective d'un ton sévère. Tâchez de ne plus l'oublier si jamais vous vous en sortez. Bonne chance, mon ami, et restez en vie !

Sous les yeux de Marvin, le détective Urdorf se mit à tournoyer comme une toupie de plus en plus vite, de plus en plus flou, et finit par disparaître complètement.

Et Marvin se retrouva face à la puissante mâchoire de ganzer qui était sur le point d'engloutir sa tête tout entière.

12

— Attendez ! s'écria Marvin.

— Attendre quoi ? demanda le ganzer.

Marvin n'avait pas réfléchi au-delà. Il entendit l'œuf de ganzer murmurer : « Juste retour des choses. Ce n'est pas moi qui le plaindrais, et cependant… il a été chic avec moi. Mais chacun ses affaires… »

— Je ne veux pas mourir, dit Marvin.

— Je n'ai jamais supposé que vous le vouliez, fit le ganzer des rocs d'un ton qui n'était pas entièrement dépourvu de sympathie. Et naturellement, vous souhaitez discuter de cela avec moi. L'aspect éthique et moral et tout le reste. Mais j'ai bien peur que ce ne soit impossible. Voyez-vous, on nous a soigneusement avertis de ne jamais laisser parler un Meldien. Nous sommes censés accomplir notre travail un point c'est tout, sans faire de personnalisation. Simple question d'hygiène mentale. Par conséquent, si vous voulez bien fermer les yeux...

Les mâchoires se rapprochèrent. Mais Marvin, subitement frappé par une folle conjecture, s'écria :

— Vous avez bien dit votre travail ?

— Evidemment, c'est un travail, dit le ganzer. Ne croyez pas qu'il y ait rien de personnel dans tout cela.

Il fronça les sourcils, visiblement mécontent d'avoir trop parlé.

— Un travail ! Votre travail consiste à attraper les Meldiens, c'est bien ça ?

— Mais oui, que voudriez-vous d'autre ? Cette planète ne vaut pas grand-chose, à part la présence des Meldiens.

— Et pourquoi attrapez-vous les Meldiens ? demanda Marvin.

— Eh bien, pour commencer, un œuf de ganzer ne peut arriver à maturité que dans le corps d'un hôte meldien adulte.

— Dites donc vous, fit l'œuf de ganzer en roulant d'un côté puis de l'autre d'un air embarrassé. Vous pourriez nous épargner ces détails biologiques. Est-ce que vous m'entendez décrire devant tout le monde vos fonctions naturelles les plus intimes ?

— En outre, poursuivit le ganzer, notre unique produit d'exportation est le cuir de Meldien qui, après traitement adéquat, sert à confectionner des habits impériaux sur Triana II, des amulettes porte-bonheur sur Nemo et des revêtements de sièges sur Chrysler XXX. Cette chasse au mortel et insaisissable Meldien est notre seul moyen de maintenir un niveau de civilisation à peu près acceptable sur la planète, et...

— C'est exactement ce qu'on nous a dit ! s'exclama Marvin, et il lui rapporta brièvement les paroles du directeur.

— Mon Dieu ! fit le ganzer.

Tous deux réalisaient maintenant la véritable situation. Les Meldiens étaient entièrement dépendants des Ganzers, qui à leur tour étaient entièrement dépendants des Meldiens. Les deux races se pourchassaient sans pitié, vivaient et mouraient l'une pour l'autre, et soit par artifice soit par ignorance ignoraient totalement la nature de leur relation. Cette relation était de type symbiotique. Chacune des deux races faisait comme si elle était l'unique intelligence civilisée face à une espèce méprisable, bestiale et de peu d'importance.

Il leur apparaissait maintenant qu'ils participaient tous les deux dans une mesure égale du concept général de l'Humanité. (Dont faisait également partie l'œuf de ganzer, bien sûr.) Cette constatation les fit méditer quelque temps. Mais Marvin était toujours cloué au sol par la lourde patte du ganzer.

— Ma situation est embarrassante, déclara le ganzer au bout d'un moment. Mes tendances naturelles me pousseraient à vous relâcher ; mais j'ai un contrat de travail sur cette planète qui stipule...

— Vous n'êtes donc pas un vrai ganzer ?

— Non, je suis un Psychotroqueur comme vous-même, et je viens de la Terre.

— Ma planète natale ! s'écria Marvin.

— Je commençais à m'en douter, dit le ganzer. Au bout de quelque temps on commence à devenir sensible à l'idiosyncrasie des psychés particulières que l'on rencontre, et on apprend à reconnaître ses compatriotes grâce à de tout petits détails de langage ou de phraséologie. Je me demande si vous n'êtes pas un Américain, peut-être de la Côte Est, je dirais du Vermont ou du Connecticut.

— L'Etat de New York ! s'exclama Marvin. Je suis de Stanhope.

— Et moi de Saranac Lake, dit le ganzer. Je m'appelle Otis Dagobert, et j'ai trente-sept ans.

Là-dessus, le ganzer souleva la patte qui emprisonnait Marvin.

— Nous sommes voisins, dit-il tranquillement. Je ne peux donc pas vous tuer, de même que je suis à peu près sûr que vous seriez incapable de me tuer dans des circonstances semblables. Et maintenant que nous savons la vérité, je doute que l'un de nous puisse continuer à accomplir son horrible travail. Ce qui est une triste chose à vrai dire, car nous sommes condamnés à la Discipline Contractuelle. Et en cas de refus d'obéissance, nos Compagnies sont fondées à nous appliquer la procédure de Disjonction Ultime. Vous savez ce que cela signifie pour nous.

Marvin hocha tristement la tête. Il ne le savait que trop bien. Il baissa le front et s'assit en silence auprès de son nouvel ami.

— Je ne vois pas de moyen de nous en sortir, dit-il après avoir longuement réfléchi. Nous pourrions nous cacher quelques jours dans la forêt, mais ils finiraient inévitablement par nous trouver.

Soudain l'œuf de ganzer, qui n'avait rien dit jusque-là, prit la parole :

— Allons, allons, la situation n'est peut-être pas aussi désespérée que vous le croyez.

— Que voulez-vous dire ? demanda Marvin.

— Eh bien, commença l'œuf de ganzer en ondulant de plaisir. Il me semble qu'un service en vaut un autre. Je pourrais avoir de sérieux ennuis pour ce que je vais faire... mais tant pis. Je crois que je connais un moyen de vous faire quitter la planète.

Marvin et Otis se confondirent aussitôt en exclamations de gratitude, mais l'œuf de ganzer les arrêta :

— Vous n'aurez peut-être plus tellement envie de me remercier lorsque vous saurez ce qui vous attend, dit-il d'une voix de mauvais augure.

— Rien ne peut être pire que notre situation présente, affirma Otis.

— Vous seriez étonnés, déclara simplement l'œuf de ganzer. Vous seriez tout à fait étonnés... Par ici, messieurs.

— Où est-ce que nous allons ? demanda Marvin.

— Je vous emmène voir l'Ermite, répondit l'œuf de ganzer qui ne voulut rien ajouter. Il se mit à rouler d'un air décidé, et Marvin et Otis le suivirent.

13

A travers la sombre et sauvage Forêt des Pluies de Ganzer (ou de Melde, selon votre point de vue), ils marchèrent et roulèrent, tous leurs sens en éveil à l'affût du moindre danger. Mais aucune créature ne les menaça, et ils arrivèrent enfin en vue d'une clairière. Au milieu de cette clairière se dressait une hutte grossière, et devant cette hutte un humanoïde vêtu de haillons était accroupi.

— C'est l'Ermite, leur dit l'œuf de ganzer. Il est un peu fou.

Les deux Terriens n'eurent guère le temps de méditer ce renseignement. L'Ermite se leva à leur approche et leur cria :

> Halte-là, étrangers qui perturbez ces lieux ;
> Révélez-vous sur l'heure à mon entendement.

— Je suis Marvin Flynn, dit Marvin, et voici mon ami Otis Dagobert. Nous désirons quitter cette planète.

L'Ermite ne parut pas les entendre ; il caressa sa longue

barbe et contempla d'un air songeur la cime des arbres en déclamant d'une voix basse et sombre :

> Devant que ce jour vînt à l'horizon nous vîmes
> Un vol bas d'oies sauvages présageant rien de bon.
> La chouette éplorée quitta ce solitaire refuge
> Loin des hommes loin de ce que la Nature prodigue.
> Les étoiles se taisent éclairant notre gîte,
> Et les arbres eux-mêmes des rois parlent la fuite.

— Il veut dire, expliqua l'œuf de ganzer, qu'il avait le pressentiment que vous viendriez par ici.

— Est-ce qu'il est fou ou quelque chose comme ça ? demanda Otis. Cette façon de s'exprimer...

> Que pratiquent ces deux dans les méandres obscurs
> De leur esprit celant l'odieuse trahison ?

dit l'Ermite.

— Il ne veut pas que vous chuchotiez entre vous, traduisit l'œuf de ganzer. Il trouve ça suspect.

— J'avais compris tout seul, dit Flynn.

— Allez vous faire foutre, dit l'œuf de ganzer. Je croyais rendre service.

L'Ermite fit plusieurs pas en avant, s'immobilisa et demanda :

> Qui céans prétendez-vous ?

Marvin se tourna vers l'œuf de ganzer, qui resta obstinément muet. Devinant à peu près ce que l'Ermite voulait dire, Marvin répondit :

— Monsieur, nous essayons de trouver un moyen de quitter cette planète et c'est la raison pour laquelle nous venons vous demander votre aide.

L'Ermite secoua la tête :

En quel patois barbare s'exprime celui-là ?
Un agneau enrhumé enroberait ses mots
Dedans plus de clarté.

— Que veut-il dire ? demanda Marvin.

— Puisque vous êtes si malin, débrouillez-vous tout seul, dit l'œuf de ganzer.

— Excusez-moi si je vous ai froissé.

— N'y pensez plus, n'y pensez plus.

— Je le regrette vraiment. J'apprécierais beaucoup que vous nous serviez d'interprète.

— Très bien, dit l'œuf de ganzer encore un peu boudeur. Il dit qu'il ne vous comprend pas.

— Il ne comprend pas ? Mais c'était pourtant clair.

— Pas pour lui. Si vous voulez communiquer, vous feriez bien de versifier.

— Moi ? Impossible ! s'indigna Marvin avec ce frisson de répulsion instinctive qui s'empare de tous les Terriens mâles et intelligents à la seule pensée de tout ce qui est en vers. Je n'en suis simplement pas capable ! Otis, peut-être que vous...

— Pas moi ! s'écria Otis, alarmé. Pour qui me prenez-vous ? Pour votre commis ?

L'honnête homme parle clair et d'une bouche prude,

déclara l'Ermite,

Et je ne connois pas l'augure de ce silence.

— Il commence à s'énerver, traduisit l'œuf de ganzer. Vous devriez faire un effort.

— Peut-être pourriez-vous le faire à notre place ? suggéra Otis.

— Je ne suis pas votre commis, fit avec sarcasme l'œuf de ganzer. Si vous voulez parler, vous devrez parler par vous-mêmes.

77

— Le seul poème dont je me souvienne de l'école est le *Rubaiyât*, dit Marvin.

— Eh bien, allez-y, dit l'œuf de ganzer.

Marvin chercha l'inspiration, eut un tic nerveux et commença en hésitant :

Oyez ! Un pèlerin de la forêt en guerre
Interraciale avec humilité implore
Votre confort et assistance et bienveillance.
Pouvez-vous cette humble et désespérée requête
Ignorer ?

— Un peu boiteux, chuchota l'œuf de ganzer. Mais pas mal pour un coup d'essai. (Otis était plié de rire. Marvin lui balança un coup de queue.)

L'Ermite répondit :

Bien parlé, étranger ! Cette aide vous aurez.
Bien plus encor, car si les hommes souvent ont
Formes diverses ils sont néanmoins frères de race
Et à l'adversité, oui, doivent faire face.

Plus promptement cette fois, Marvin déclama :

Voyageur égaré frappé par l'infortune,
J'espère au sein de ce planétoïde antique
De splendeurs parsemé et de rêve étoilé
De mes terreurs passées trouver la fuite ultime.

L'Ermite répliqua :

Avancez donc, vassal, mon prince, mon suzerain,
Car tous les hommes sont conformes à l'état
Où un destin obscur un jour les promouvra.
Tel esclave régnera sur tel grand du royaume
Cependant que demain tel homme taciturne,
Tel ennemi muet des coutumes sacrées,

Dans notre coupe pleine ses lèvres trempera
S'il veut bien desceller sa bouche malhonnête.

Marvin fit un pas en avant en disant :

Grand merci, grand merci ! Le chemin des étoiles
Ne sied qu'au sage et au simple d'esprit itou ;
Pour lors il est dénié au pauvre Taciturne
Qui de Mars la couleur ne verra pas si tost.

Otis, qui faisait des efforts pour ne pas pouffer, dressa soudain l'oreille :

— Hé, c'est de moi que vous êtes en train de parler ?

— Parfaitement, dit Marvin. Vous feriez bien de versifier un peu si vous voulez sortir d'ici.

— Mais vous faites ça très bien pour nous deux.

— Pas question. L'Ermite vient de dire qu'il vous faut parler par vous-même.

— Mon Dieu ! murmura Otis. Comment faire ? Je ne connais aucun poème.

— Dépêchez-vous de trouver quelque chose, dit l'œuf de ganzer.

— Euh… tout ce dont je me souviens, c'est d'une récitation de Swinburne qu'une fille complètement fofolle me répétait tout le temps. Mais c'est d'un bête…

— Écoutons toujours, dit Marvin.

Otis prit une grande inspiration et commença à réciter :

Quand les astronefs de la Terre
Visitent les planètes solitaires
L'âme de l'homme, qu'il soit grand ou petit,
Sous le poids de la nostalgie
Languit et dépérit.
Mais sa gratitude est immense
Et emplit son cœur de romance
A l'heure où l'Ermite héroïque
Lui tend une main pathétique.

L'Ermite répondit :

Or çà tu parles beau. C'est merveille de voir
En ces temps de disgrâce comme une langue torte
Peut porter préjudice à son propriétaire.

Marvin prit alors la parole :

Ah, de ces lieux adverses qu'on transporte Marvin.
Il connaîtrait c'est sûr la peur et la souffrance
Si prestement par vous il n'était éconduit
Loin de ses ennemis, loin des lantiponeurs.

L'Ermite répondit :

Messieurs, ne tardons plus ; le pied à l'étrier
Et la tête hautaine, nous irons de l'avant.

Et c'est ainsi que tout en rimaillant ils se dirigèrent vers la hutte du vieil Ermite où ils découvrirent, dissimulé sous quelques plaques d'écorce, un Psychémetteur clandestin d'un très ancien et très curieux modèle. Ce qui permit à Marvin de constater que même dans la folie la plus pure il y a toujours un grain de méthode. Car l'Ermite était sur cette planète depuis moins d'un an, et déjà il avait amassé une solide fortune en expédiant des réfugiés vers divers marchés du travail peu recommandables de la galaxie.

Ce n'était pas très moral, mais comme l'Ermite le déclara lui-même :

Vous plaît-il de jeter l'opprobre et l'infamie
Sur l'engin que voici ? Certes je ne nie pas
La vérité abstraite en son aridité
De votre jugement. Mais quoi, est-il pas fou
De refuser un verre de mauvaise piquette
Quand on sort assoiffé du désert asséché ?

Alors, pourquoi juger avec sévérité
Qui vous sauve la vie ? Est-ce l'ingratitude
Ou la perversité qui vous fait souffleter
La main qui vous libère des griffes de la Mort ?

14

Un certain temps passa. Il n'avait pas été très difficile de trouver un travail pour Otis Dagobert. Malgré ses vives dénégations, le jeune homme laissait entrevoir une faible mais évidente proprension au sadisme. En conséquence, l'Ermite avait émis sa psyché dans le corps vacant d'un aide-dentiste sur la planète Prodenda IX. Cette planète, située légèrement sur la gauche par rapport à la Chaîne Méridionale quand on arrive de Procyon, avait été colonisée par un groupe de Terriens qui n'aimaient pas la fluorine et en voulaient à mort à cette substance chimique, comme si c'était le diable soi-même. Sur Prodenda IX, ils vivaient libres de la fluorine, avec l'assistance de nombreux architectes dentaires, comme ils les appelaient.

L'œuf de ganzer souhaita bonne chance à Marvin Flynn et se laissa rouler vers la forêt.

— Et maintenant, dit l'Ermite, venons-en à votre problème. Il me semble, d'après une étude fort objective de votre personnalité, que vous avez de nettes aptitudes pour le rôle de victime.

— Moi ? demanda Marvin.

— Oui, vous.

— De victime ?

— De victime, oui certes.

— Je n'en suis pas si sûr, dit Marvin. En fait, il

formulait ainsi sa réponse par pure politesse, car il était sûr que l'Ermite se trompait.

— Moi j'en suis sûr, dit l'Ermite. Et vous me permettrez de vous faire remarquer que j'ai beaucoup plus d'expérience que vous dans le domaine du placement.

— Sans doute... Mais comment se fait-il que vous ne parliez plus en vers ?

— Pourquoi le ferais-je ? demanda l'Ermite.

— Parce que vous le faisiez tout à l'heure.

— Tout à l'heure c'était différent. J'étais à l'extérieur ; il fallait que je me protège.

— Et maintenant ?

— Maintenant je suis chez moi et en sécurité. Je n'ai plus besoin du langage protecteur des vers.

— Les vers sont une protection à l'extérieur ?

— Parfaitement. Voilà près d'un an que je vis sur cette planète, traqué par deux races de tueurs qui m'assassineraient sans hésiter s'ils pouvaient mettre la main sur moi. Et pendant tout ce temps il ne m'est absolument rien arrivé de fâcheux. Ne trouvez-vous pas que c'est suffisant ?

— C'est heureux, en effet. Mais comment savez-vous que c'est votre langage qui vous protège ?

— Par inférence, dit l'Ermite. Cela me semble raisonnable.

— Peut-être, mais je ne vois toujours pas le rapport entre votre langage et votre sécurité.

— Je ne le vois pas non plus, avoua l'Ermite. Je me plais à croire que je suis un être rationnel, mais l'efficacité protectrice de la poésie, c'est une chose que je suis obligé d'accepter malgré moi. Cela marche ; que puis-je vous dire d'autre ?

— Avez-vous songé à expérimenter ? demanda Marvin. Je veux dire que si vous tentiez de parler en prose à l'extérieur, vous vous apercevriez peut-être que vous n'avez pas besoin de vers.

— Peut-être, répondit l'Ermite. Et si vous tentiez de

marcher au fond de l'océan, vous vous apercevriez peut-être que vous n'avez pas besoin d'air pour respirer.

— Ce n'est pas la même chose.

— C'est exactement la même chose. Nous vivons tous en fonction d'un grand nombre de postulats non vérifiés dont nous ne pouvons déterminer le fondement ou le non-fondement qu'en exposant notre existence. Comme pour la plupart d'entre nous l'existence est plus importante que la vérité, nous abandonnons cette épreuve ultime aux fanatiques.

— Je n'essaye pas de marcher sur l'eau, dit Marvin, parce que j'ai vu des gens se noyer.

— Et moi, répliqua l'Ermite, je ne parle pas en prose à l'extérieur parce que j'ai vu trop d'hommes se faire tuer en parlant en prose, mais jamais un seul versificateur.

— A chacun son point de vue.

— « L'acceptation de l'indétermination est le commencement de la sagesse », cita l'Ermite. Mais nous parlions de vous et de vos qualités en tant que victime. Je le répète, vous avez des aptitudes, ce qui vous ouvre une situation extrêmement intéressante.

— Je n'en veux pas, dit Marvin. Qu'avez-vous d'autre ?

— Rien, dit l'Ermite.

Par une remarquable coïncidence, Marvin entendit à ce moment précis un grand fracas dans les fourrés avoisinant la hutte et en déduisit qu'il s'agissait ou des Meldiens ou des Ganzers ou des deux à la fois lancés à sa poursuite.

— J'accepte, dit-il ; mais vous avez tort.

Il eut ainsi la satisfaction du dernier mot. Mais l'Ermite eut la satisfaction du dernier acte car, ajustant ses cadrans, il appuya sur un bouton qui expédia Marvin vers sa nouvelle carrière sur la planète Celsus V.

15

Pour les Celsiens, donner et recevoir des présents est un impératif culturel. Refuser un cadeau est une chose impensable qui provoque chez les intéressés une angoisse analogue à la crainte de l'inceste chez un Terrien. En temps normal, cela ne cause aucun problème. La plupart des présents sont des présents blancs, destinés à exprimer des nuances diverses d'amour, de tendresse, de gratitude, etc. Mais il y a aussi les présents gris d'avertissement, et les présents noirs de mort.

C'est ainsi qu'un haut fonctionnaire reçut de ses administrés un magnifique anneau de nez qu'il devait obligatoirement porter pendant quinze jours. L'objet était un vrai bijou, et il n'avait qu'un seul défaut. Il faisait tic-tac.

Une créature d'une autre race aurait pu le flanquer dans le premier caniveau venu. Mais aucun Celsien sain d'esprit n'aurait fait une chose pareille, il n'aurait même pas osé faire examiner l'anneau. Le dicton des Celsiens était : A cheval donné on ne regarde pas à la bouche. Sans compter que si le public avait eu vent du moindre soupçon, cela eût causé un irréparable scandale.

Il fallait qu'il porte ce maudit anneau pendant quinze jours.

Mais l'objet de malheur faisait *tic-tac*.

Le haut fonctionnaire, dont le nom était Marduk Kras, réfléchit longtemps au problème. Il songea à ses administrés, aux diverses façons dont il les avait aidés et aux diverses autres dont il leur avait failli. Une chose était certaine, l'anneau était un avertissement. Au mieux, c'était un présent gris. Au pire, c'était un noir — une petite bombe de fabrication artisanale qui lui éclaterait au visage au bout de plusieurs jours d'anxiété.

Marduk n'était pas d'humeur suicidaire. Il ne pouvait

pas risquer de porter le maudit anneau. Mais il ne pouvait pas non plus risquer de ne pas le porter. Il se trouvait confronté avec le classique dilemme celsien.

« Seraient-ils capables de me faire une chose pareille, se demandait Marduk, rien que parce que j'aurais transformé leur misérable banlieue résidentielle en zone industrielle et signé un accord avec la Ligue des Propriétaires pour que leur loyer soit augmenté de 320 % en échange d'améliorations sanitaires à effectuer au cours des cinquante prochaines années ? Je n'ai jamais prétendu être omniscient, le ciel m'en est témoin ; j'ai pu faire des erreurs çà et là, je le reconnais volontiers. Mais est-ce une raison suffisante pour commettre ce que n'importe qui est obligé de qualifier d'acte profondément antisocial ? »

L'anneau continuait à faire joyeusement tic-tac en titillant son nez et alarmant ses sens. Marduk songea à d'autres personnages importants dont la tête avait volé en éclats par la faute d'un électorat aigri. Oui, il y avait des chances pour que ce soit une bombe.

« Les sales mouleurs ! » proféra Marduk en se défoulant avec une injure qu'il n'aurait jamais osé prononcer en public. Il était profondément chagriné. Avoir travaillé toute sa vie pour ces sacs à peau, ces verruqueux, et recevoir ça comme récompense : une bombe à s'accrocher au nez !

Pendant un instant pathétique, il envisagea de jeter l'anneau dans la cuve de chlore la plus proche. Rien que pour leur montrer ! Et il y avait un précédent. Saint Voreeg n'avait-il pas rejeté l'Offrande Totale des Trois Esprits ?

Oui... mais l'Offrande des Esprits, selon l'exégèse en vigueur, avait constitué une attaque subtile contre le Principe du Don, et donc contre les fondements les plus sacrés de la société ; car en faisant leur Offrande Totale, ils prévenaient toute possibilité de futur cadeau.

De plus... ce qui était admirable de la part d'un saint du Deuxième Royaume était exécrable de la part d'un modeste fonctionnaire de la Dixième Démocratie. Les saints peuvent faire n'importe quoi ; les hommes ordinaires sont censés faire ce que l'on attend d'eux.

Les épaules de Marduk s'affaissèrent. Il se fit quelques applications de boue tiède aux pieds, mais cela ne lui apporta aucun soulagement. Il n'y avait aucune issue. Un Celsien seul ne pouvait se dresser contre la société. Il faudrait qu'il porte l'anneau jusqu'au moment fatidique où le tic-tac s'arrêterait et où...

Mais au fait, il y avait bien un moyen... Oui ! Pourquoi n'y avait-il pas pensé jusqu'à présent ? La transaction serait peut-être délicate, mais s'il savait s'y prendre il pourrait sauvegarder à la fois sa sécurité et les conventions. Si seulement ce maudit anneau lui laissait le temps...

Marduk Kras donna quelques coups de téléphone urgents, et s'arrangea pour se faire envoyer en mission sur la planète Taami II (le Tahiti de la Région des Dix Etoiles) pour affaires pressantes. Mais pas corporellement, bien sûr ; aucun fonctionnaire responsable ne dépenserait l'argent des contribuables pour expédier son corps à une centaine d'années-lumière de là alors que sa psyché suffisait amplement. Marduk voyagerait par l'entremise de Psychotroc. Il obéirait à la lettre, sinon à l'esprit de la coutume celsienne, en laissant son corps derrière lui avec l'anneau qui faisait joyeusement tic-tac à son nez.

Le problème était de trouver une psyché à qui confier son corps durant son absence. Mais ce n'était pas un obstacle majeur. Les psychés sans corps sont légion dans la galaxie. (Pourquoi il en est ainsi, personne ne le sait au juste. Après tout, chacun reçoit la sienne pour commencer. Mais il y a toujours des gens qui s'arrangent pour finir avec beaucoup plus que ce dont ils ont besoin, que ce soit l'argent, la puissance ou les corps, et d'autres avec beaucoup moins.)

Marduk entra en contact avec l'Entreprise L'Ermite

(Location de Corps en Tous Genres). L'Ermite avait exactement ce dont il avait besoin : un jeune Terrien de toute confiance qui était en danger imminent de perdre la vie et qui était prêt à tenter sa chance avec un anneau de nez qui faisait tic-tac.

C'est ainsi que Marvin se retrouva sur Celsus V.

Pour une fois, il n'y avait rien qui pressait. A son arrivée, Marvin put suivre la procédure recommandée par l'agence Psychotroc. Il resta parfaitement immobile afin de s'habituer progressivement à son nouveau corps. Il essaya ses membres, vérifia ses sens et fit un inventaire rapide du contenu culturel primaire du cerveau antérieur pour se familiariser avec les facteurs de similitude et d'analogie. Tout cela était automatique.

Il constata que le corps avait un facteur d'adaptabilité parfait, avec un excellent indice de dispersion omnidirectionnelle. Il y avait des problèmes, naturellement : la courbe delta était absurdement elliptique, et les P.Y.U. (points Y universels) étaient falciformes au lieu de trapézoïdaux. Mais on ne pouvait pas s'attendre à mieux sur une planète de type 3 B. Dans des circonstances normales, cela ne devait pas lui causer d'ennuis.

Dans l'ensemble, c'était un environnement culturo-corporel dans lequel il pouvait espérer s'intégrer et empathiser.

« Tout va bien », se dit-il pour se résumer la situation. « Du moment que ce maudit anneau ne m'explose pas au nez. »

Il se leva et se mit en devoir d'examiner les lieux. La première chose qu'il vit fut une lettre que Marduk lui avait laissée, attachée à son poignet pour qu'elle soit bien en évidence.

Cher Troqueur (disait la lettre),
Bienvenue sur Celsus ! Les circonstances de votre séjour vous paraissent peut-être alarmantes, et

croyez que je le déplore presque autant que vous. Mais je vous conseille sincèrement d'écarter toute sombre pensée et de vous occuper seulement de passer d'agréables vacances. A titre de consolation, je puis vous indiquer que les chances statistiques de mort par présent noir ne sont guère plus nombreuses que celles qu'a un mineur de plutonium de périr dans un accident de mine. N'y pensez donc plus, et profitez bien.

Mon appartement et tout ce qu'il contient sont à votre entière disposition. Mon corps également, bien que je vous demande de ne pas trop le surmener ou le faire veiller tard ou lui faire ingérer un excès de boissons alcoolisées. Il a une faiblesse au poignet gauche, aussi veuillez être prudent si vous avez à soulever des poids. Bonne chance, et essayez de ne pas trop vous en faire, car une attitude d'angoisse n'a jamais résolu un problème.

P.-S. — Je sais que vous êtes un gentleman et que vous n'essaierez pas d'enlever l'anneau. Mais je crois utile de vous informer tout de même que c'est impossible car il est maintenu en place à l'aide d'un Cadenas Moléculaire Jayverg, modèle microscopique breveté. Encore adieu, et surtout tâchez de chasser toutes vos idées noires et de profiter au mieux de votre séjour sur notre jolie planète.

Votre ami sincère,
Marduk Kras.

La première réaction de Marvin fut d'être irrité par cette lettre. Puis il se mit à rire et la froissa entre ses mains. Marduk était sans aucun doute une crapule, mais une crapule sympathique et somme toute généreuse. Il décida de tirer le meilleur parti de son douteux marché, d'oublier l'éventuelle bombe suspendue au-dessus de ses lèvres et de rendre son séjour sur Celsus aussi agréable que possible.

Il commença à explorer sa nouvelle maison et fut très satisfait de ce qu'il vit. C'était un terrier de célibataire, conçu pour la résidence plutôt que pour la reproduction. Sa principale caractéristique architecturale — la pentabrachiation — témoignait du statut de haut fonctionnaire de Kras. La plupart des gens, moins favorisés, devaient se contenter de trois ou quatre galeries seulement ; et dans les faubourgs populaires du nord de Bogger, des familles entières étaient entassées dans de sordides ensembles mono ou bibrachiaux. Cependant, une meilleure politique du logement avait été promise pour un avenir très proche.

La cuisine était une pièce attrayante et moderne, et bien fournie en articles de gourmets. Il y avait des pots d'annélides confits, un bocal d'alcyonaires variés en salade et de savoureuses préparations de tubipores, de gorgones et de rénilles. Il y avait aussi des patelles et des rotifères à la sauce orchidée. Mais — c'était typique d'un célibataire — un grand nombre de produits courants manquaient, comme par exemple des galettes de gastéropodes ou du miel de gingembre au carbonate.

En explorant les longues galeries sinueuses, Marvin trouva la salle de musique. Là, Marduk n'avait pas lésiné. Un gigantesque ampli Impérial trônait au fond de la pièce, flanqué de deux haut-parleurs Tyran. Marduk utilisait un microphone Tourbillon équipé d'un suppresseur mixte de canaux de quarante bbc, d'un sélecteur variable de résolution et d'un modulateur passif à action flottante. La lecture se faisait par régénération d'image, mais la chaîne était également équipée pour recevoir la modulation d'extinction. Bien que peut-être pas de qualité professionnelle, c'était un excellent équipement d'amateur.

Le cœur de la chaîne, naturellement, était l'Insectarium. Celui-ci était un Ingénuateur, modèle Supermax à sélection automatique et manuelle, contrôles d'alimentation et de déjection séparés, équipé de divers accessoires maximisants et minimisants.

Marvin choisit une gavotte pour criquet (Korestal

431 B) et écouta les ravissantes improvisations trachéales et la partie de basse subtile des tubules couplés de Malphigi. Il admira la virtuosité de l'interprète, un criquet à dos bleu dont il voyait vibrer le second segment dans son compartiment de l'Insectarium.

Marvin se pencha en avant et hocha la tête en signe d'approbation. Le criquet à dos bleu se frotta les mandibules, puis se remit à jouer. (Il était spécialement dressé pour les effets de scène et les étalages de virtuosité, mais Marvin ne pouvait pas le savoir.)

Il tourna le bouton de sélection ; le criquet retomba dans l'état de Léthargie. L'Insectarium était fort bien pourvu, particulièrement en symphonies d'éphéméridés mais aussi en chansons modernes de noctuelles ; mais Marvin avait trop à faire pour s'occuper de musique pour le moment.

Dans la salle de séjour, Marvin se laissa tomber sur une confortable banquette ancienne en argile, reposa sa tête sur le support de granite patiné et essaya de se relaxer. Mais l'anneau avec son tic-tac était un perpétuel obstacle à tout sentiment de bien-être. Il prit au hasard une cliquette parmi une série qui se trouvait sur une table basse et passa ses antennes sur les sillons, mais ce fut peine perdue. Il ne pouvait même pas se concentrer sur des choses insignifiantes. Il rejeta impatiemment la cliquette et s'efforça de réfléchir à ce qu'il allait faire.

Il était pris dans un implacable engrenage. Il était obligé de supposer que ses minutes de vie étaient sévèrement comptées, et il était en train de perdre son temps. Il voulait faire quelque chose pour commémorer les derniers instants qui lui restaient à vivre, mais que faire ?

Il se laissa glisser de la banquette et se mit à faire les cent pas dans la galerie principale en faisant claquer ses mandibules avec irritation. Puis, prenant une décision soudaine, il se dirigea vers la pièce qui servait de garde-robe. Là, il choisit un nouveau plastron de chitine bronze doré et le passa soigneusement sur ses épaules. Il enduisit ses soies faciales de colle parfumée, puis les arrangea *en brosse* le long de ses joues. Il appliqua un rien de durcisseur sur ses antennes, les inclina selon un angle désinvolte de soixante degrés et les laissa reprendre leur élégante courbure naturelle. Enfin, il aspergea son abdomen de sable à la lavande et souligna ses articulations dorsales d'un léger trait de noir de fumée.

Il s'examina dans la glace et décida que l'effet obtenu était loin d'être déplaisant. Tout en étant bien habillé, il ne ressemblait pas à un dandy. Aussi objectivement qu'il était capable de juger, il se disait qu'il avait l'air d'un jeune homme présentable et plutôt cultivé. Peut-être pas du roi des squigs, mais certainement pas non plus d'un vulgaire philodron.

Il quitta le terrier par l'entrée principale et replaça le bouchon derrière lui.

Il faisait nuit. Des étoiles scintillaient au-dessus de sa tête. Elles semblaient tellement plus nombreuses que les myriades de lumières éclairant l'entrée d'innombrables terriers, privés et commerciaux, qui constituaient le cœur vibrant de la cité. Ce spectacle électrisa Marvin. Sûrement, oui, sûrement, quelque part dans les corridors entrelacés de la grande métropole, il devait y avoir de quoi lui donner du plaisir. Ou au moins un doux et charitable sursis.

C'est ainsi que Marvin s'en fut, le cœur endolori mais tremblant d'espérance, vers le fiévreux et mystérieux Sillon Central de la cité pour y trouver ce que le hasard lui tenait en réserve ou que le destin avait décrété.

16

D'une démarche lourde ponctuée par le crissement de ses bottes de cuir et le cliquetis de ses éperons sur le trottoir de bois, Marvin Flynn remonta lentement la rue. De fortes senteurs d'armoise et de chaparral parvenaient jusqu'à lui. De part et d'autre de l'endroit où il se trouvait, les murs d'adobe de la ville étincelaient au clair de lune comme de pauvres dollars mexicains. D'un saloon voisin sortaient les accords stridents d'un banjo...

En fronçant les sourcils, Marvin s'arrêta au milieu d'une foulée. Un saloon ? Des accords de banjo ? Qu'est-ce qui pouvait bien encore se passer ?

— Quelque chose qui ne va pas, étranger ? demanda une voix chantante mais rauque.

Flynn fit volte-face. Une silhouette sortit de l'ombre devant le *General Store*. C'était un vieux cow-boy désœuvré aux épaules tombantes et au chapeau noir poussiéreux comiquement enfoncé sur un front crasseux.

— Oui, ça ne va pas du tout, répondit Marvin. Tout me paraît tellement... étrange.

— Ne vous en faites pas, le rassura le cow-boy. Vous avez seulement troqué votre système de référence métaphorique contre un autre, et Dieu sait qu'il n'y a aucun crime à cela. Au contraire, vous devriez être heureux d'abandonner vos austères comparaisons entomologiques.

— Qu'est-ce que vous reprochez à mes comparaisons ? demanda Marvin. Après tout, je suis bien sur Celsus V, et je vis bien dans un terrier !

— Et alors ? Vous n'avez pas d'imagination ?

— De l'imagination, j'en ai ! s'écria Marvin avec indignation. Mais il ne s'agit pas de ça. Je voulais simplement vous faire remarquer que ça ne tient pas debout de raisonner comme un cow-boy de la Terre quand on est en réalité une sorte de taupe sur Celsus V.

— On ne peut rien y faire, dit le cow-boy. Ce qui s'est passé, c'est que vous avez surchargé votre faculté d'analogie et provoqué un court-circuit. En conséquence, vos perceptions ont dû avoir recours à la normalisation expérimentale. C'est un processus qui porte le nom de « déformation métaphorique ».

Maintenant, Marvin se souvenait de l'avertissement de Mr. Blanders concernant ce curieux phénomène. La déformation métaphorique, cette maladie du voyageur interstellaire, l'avait frappé sans crier gare.

Il savait qu'il aurait dû se sentir alarmé, mais au lieu de cela il n'éprouvait qu'une légère surprise. Ses émotions étaient conformes à ses perceptions, car un changement non perçu est un changement non ressenti.

— Quand, demanda Marvin, vais-je commencer à voir les choses comme elles sont réellement ?

— C'est une question à poser à un philosophe, lui dit le vieux cow-boy. Mais pour vous donner une idée, ce syndrome particulier disparaîtra si vous retournez un jour sur la Terre. Si par contre vous continuez à voyager, le processus d'analogie perceptive s'accentuera, bien que d'occasionnelles rémissions dans votre contexte situationnel primitif soient tout de même à prévoir.

Marvin trouva cela intéressant, mais peu alarmant. Il rajusta son ceinturon sur ses hanches en prononçant d'un ton traînant :

— Enfin, bref, on joue avec les cartes qu'on a, et on ne va pas rester toute la nuit à discuter de ça. Qui êtes-vous au juste, étranger ?

— Je suis, dit le cow-boy avec une certaine suffisance, celui sans qui ce dialogue serait impossible. Je suis la Nécessité personnifiée ; sans moi, vous auriez été obligé de penser par vous-même à la Déformation métaphorique, et je doute que vous en soyez capable. Vous pouvez me porter un toast.

— Ça ne se fait pas dans l'Ouest, dit Marvin d'un ton méprisant.

— Excusez-moi, fit le cow-boy sans montrer le moindre embarras. Avez-vous une toute cousue ?

— J'ai la matière première, dit Marvin en lui lançant une blague de tabac Bull Durham. Il contempla quelques

instants son nouveau compagnon en silence, puis ajouta :
« Bah, t'es sûrement pas le roi de la Prairie, et j'ai comme
l'impression que tu as du sang de coyote dans les veines,
mais qui que tu sois j'imagine que t'es pas le mauvais
cheval. »

— Bravo, dit le cow-boy gravement. Vous avez saisi le
changement de contexte avec la même sûreté qu'un singe
qui saisit une banane.

— Faut pas charrier Professeur, dit Marvin en lançant
à six pas un épais jet de salive noire. Où ce qu'on va
maintenant ?

— Nous allons diriger nos pas, dit le cow-boy, vers çe
saloon de mauvaise réputation que vous apercevez là-bas.

— Youpie ! s'exclama Marvin en marchant d'un pas
déhanché vers la porte à double battant du saloon.

Dès qu'ils furent entrés dans la salle enfumée, une
femelle s'accrocha au bras de Marvin. Elle leva vers lui
des lèvres horriblement vermillonnées et des yeux crayonnés en une lourde imitation de gaieté. La flaccidité de son
visage était barbouillée des hiéroglyphes trompeurs de
l'animation.

— Tu montes, petit ? cria la sinistre matrone. Tu
verras comme on rigole bien !

— Il est curieux de remarquer, dit le cow-boy, que la
Coutume a forgé une fois pour toutes le masque de cette
dame en décrétant que celles dont le métier est de faire
commerce du plaisir doivent être le portrait de la joie.
C'est une amère sujétion, mes amis, que l'on ne trouve au
sein d'aucune autre corporation, car notez-le bien, la
poissonnière a le droit de détester le hareng et le jardinier
d'être allergique à ses navets. Même le vendeur de
journaux peut être illettré. Et il n'est pas jusqu'aux saints
du Paradis qui ne puissent haïr leur martyre. Seule la
modeste marchande de plaisirs est obligée, comme Tan-
tale, d'espérer éternellement un inaccessible festin.

— Ton ami est un petit plaisantin, hein ? susurra la

mégère. Mais c'est toi que je préfère, chéri, parce que tu me fais toute chose à l'intérieur.

Du cou de la virago pendait un collier où étaient enfilées les répliques en miniature d'un crâne, d'un piano, d'une flèche, d'un chausson de bébé et d'une dent jaunie.

— Qu'est-ce que c'est ? demanda Marvin.

— Des symboles.

— De quoi ?

— Monte avec moi, et je te ferai voir, gros bêta !

— Et c'est là, déclama le cow-boy, que l'on perçoit l'éveil de la féminité inaliénable et véritable, à côté de laquelle nos pauvres sentiments masculins ne sont que des caprices de bébés.

— Allons ! s'écria la harpie en tortillant son gigantesque corps dans une parodie de passion qui était d'autant plus inquiétant qu'elle était réelle. « Au dodo en vitesse ! » Elle pressa contre Marvin une mamelle qui avait la taille et la consistance d'une outre mongolienne vide. « Tu vas voir ce que tu vas voir ! » dit-elle en lui enserrant les cuisses dans l'étau d'une énorme jambe couverte de traces de crasse et de varices. « Quand tu auras été aimé par moi, glapit-elle, tu sauras que tu as été aimé. » Et elle frotta lascivement contre lui son pubis, aussi dur que le front d'un tyrannosaure.

— Euh… merci beaucoup, balbutia Marvin, mais je crois que pour l'instant j'aime autant ne pas…

— Tu ne veux pas être *aimé ?* demanda la bonne femme avec incrédulité.

— Euh, c'est-à-dire que je ne crois pas…

Elle planta ses deux poings massifs sur ses hanches plantureuses et s'exclama :

— Ah ! Je n'eusse point cru qu'un jour il m'eût été donné de voir un spectacle pareil ! Mais elle se radoucit et ajouta : « Ne vous détournez pas messire de la demeure de Vénus au doux parfum. Soyez que diable un peu plus viril et venez enfourcher votre monture ardente tandis que le clairon dehors sonne la charge ! »

— Oh, pas maintenant peut-être, dit Marvin avec un rire jaune.

Elle le saisit à la gorge d'une poigne qui avait la forme et la taille d'un poncho chilien.

— Maintenant, espèce de sale introverti narcissique, et tâche de le faire comme il faut ou par Aris je te tords le cou comme à un vulgaire poulet !

Une tragédie semblait sur le point de se dérouler, car la terrible femme aveuglée de passion paraissait incapable d'une judicieuse modification de ses exigences cependant que d'un autre côté la lance de combat de Marvin, pourtant réputée pour ses qualités guerrières, avait rétréci à la taille d'un pois. (Ainsi la nature aveugle, tout en se défendant d'un assaut, crée les fondations d'un second.)

Avec une heureuse opportunité, le cow-boy à ce moment-là, obéissant à son astuce sinon à ses instincts naturels, sortit un éventail à fleurs de sous son ceinturon, se pencha en avant avec une grâce minaudante et donna une tape sur le bras supérieur hippopotamique de la mégère enragée.

— Ne lui faites pas de mal ! cria-t-il d'une voix aiguë de contralto.

Avec une promptitude étonnante, Marvin répliqua :

— Oui, dis-lui de cesser de me *tripoter* ! C'est exaspérant, tout de même ! On ne peut sortir de chez soi le soir sans être la victime d'un incident *déplorable*...

— Ne commence pas à pleurer, pour l'amour du ciel ne commence pas à pleurer ! fit le cow-boy. Tu sais que je ne le supporte pas.

— Je ne pleure pas ! dit Marvin en reniflant. Mais elle m'a abîmé ma chemise toute neuve. Un cadeau de toi !

— Je t'en achèterai une autre, dit le cow-boy. Mais par pitié, je ne veux pas de scène !

La mégère les regardait béante, et Marvin profita de cet instant d'inattention pour sortir un levier de son coffre à outils, le placer sous les doigts massifs et se libérer de l'étreinte sinistre. Saisissant l'occasion fugace, le cow-boy et lui bondirent vers la porte, se précipitèrent sur le trottoir, cavalèrent dans la rue et piquèrent un sprint vers la liberté.

17

Une fois à l'abri du danger immédiat, Marvin reprit abruptement ses sens. L'écran de la déformation métaphorique tomba pour le moment, et il connut une rémission perceptive empirique. Il ne lui apparaissait que trop clairement maintenant que le « cow-boy » était en réalité un gros coléoptère parasite de l'espèce *S. Cthulu*. Il ne lui était pas permis d'avoir le moindre doute là-dessus, car le coléoptère cthulu se caractérise par un second conduit salivaire situé au-dessous du ganglion subœsophagien, légèrement sur la gauche.

Ces coléoptères subsistent d'émotions empruntées aux autres, les leurs étant depuis longtemps atrophiées. Ils procèdent généralement en se dissimulant dans l'ombre pour attendre qu'un Celsien sans défiance passe à la portée de leurs maxillaires segmentés. C'est ce qui s'était passé pour Marvin.

En comprenant cela, ce dernier dirigea vers le coléoptère une onde de colère si foudroyante que le Cthulu, victime de ses propres récepteurs émotionnels hypersensibles, tomba sans connaissance au bord de la route. Ceci fait, Marvin rajusta son plastron bronze doré, redressa ses antennes et poursuivit son chemin.

Il arriva en vue d'un pont qui enjambait un grand fleuve de sable au cours impétueux. Lorsqu'il fut au centre de l'arche médiane, il plongea son regard dans les

Echange standard.   4.

noires profondeurs qui coulaient inexorablement vers le mystérieux océan de sable. A demi hypnotisé, il laissa voguer ses pensées tandis que l'anneau de son nez faisait tic-tac au rythme de sa vie mortelle, trois fois plus vite que les battements de son propre cœur. Il pensa :

« Les ponts sont les réceptacles d'idées opposées. Leur dimension horizontale nous dit leur transcendance ; leur chute verticale nous rappelle inlassablement l'imminence de l'échec et la permanence de la mort. Nous faisons notre chemin au travers des obstacles, mais la chute primordiale est éternellement sous nos pas. Nous édifions, construisons, fabriquons ; mais la mort est l'architecte suprême, qui ne façonne les montagnes que pour qu'il y ait des gouffres.

« O Celsiens, jetez vos ponts fièrement ouvragés par-dessus un millier de rivières, et unifiez les contours disparates de la planète. Votre labeur est vain, car la terre est toujours sous vous, toujours prête, toujours patiente. Celsiens, vous avez une route à suivre, mais en vérité elle ne mène qu'à la mort. Celsiens, malgré votre ingéniosité vous avez encore une leçon à apprendre : le cœur est fait pour recevoir la lance, et le reste est littérature. »

Telles étaient les pensées de Marvin tandis qu'il contemplait du pont le flot de sable impétueux. Et une aspiration profonde s'empara de lui, le désir d'en finir avec tous les désirs, de renoncer au plaisir et à la douleur, à l'échec et à la réussite, d'abandonner les vaines distractions de ce monde pour se consacrer enfin à la seule chose qui compte dans la vie, c'est-à-dire la mort.

Lentement, il enjamba le garde-fou puis resta en suspens au-dessus des sables tourbillonnants. C'est alors que du coin de l'œil il aperçut une ombre qui se détachait d'un montant, s'avança en hésitant vers le garde-fou, se pencha vers l'abîme et...

— Arrêtez ! Attendez ! s'écria Marvin. Son désir d'autodestruction avait subitement pris fin. Il ne voyait plus qu'une autre créature en péril.

L'ombre poussa une exclamation étouffée, et plongea abruptement vers le fleuve béant. Mais Marvin avait été plus rapide et réussit à se saisir d'une cheville. La secousse qui s'ensuivit faillit le faire basculer par-dessus le garde-fou. Réagissant promptement, Marvin réussit à fixer des ventouses sur le trottoir de pierre. Il disposa ses membres inférieurs de façon à avoir le maximum de prise, enroula deux membres supérieurs autour d'une poutrelle, et tira de toutes ses forces avec ses deux autres bras.

Il y eut un moment d'équilibre précaire ; puis les efforts de Marvin prévalurent et lentement, avec d'infinies précautions, jouant du torse et du tibia, il parvint à hisser de l'autre côté du garde-fou une masse qui résistait encore.

Toute réminiscence de ses propres velléités suicidaires l'avait à présent quitté. Il se pencha vers la personne qu'il venait de sauver et la secoua durement aux épaules :

— Espèce d'idiot ! s'écria-t-il. Quelle sorte de crétin inconscient êtes-vous donc ? Seul un lâche ou un insensé peut songer à en finir de cette manière. Vous n'avez donc pas de tripes au ventre, pauvre...

Il s'interrompit au milieu de son apostrophe. Le désespéré lui faisait face pour la première fois, tremblant, les yeux baissés. Et Marvin venait de s'apercevoir que c'était une femme.

18

Un peu plus tard, attablé avec elle dans un petit restaurant au bord du fleuve, Marvin exprima ses regrets d'avoir employé un vocabulaire qui dépassait sa pensée.

Mais elle fit gracieusement cliqueter ses pinces en refusant ses excuses :

— Car c'est vous qui avez raison, dit-elle. Ma conduite ne pouvait être le fait que d'une folle ou d'une imbécile, ou des deux à la fois. Votre analyse était correcte. Vous auriez dû me laisser sauter.

Marvin était en train de se dire qu'elle était véritablement très belle. De petite taille, lui arrivant à peine au prothorax, elle était exquisement faite. Son abdomen avait exactement les courbes qu'il fallait, là où il fallait, et sa tête au maintien altier était délicatement posée à l'extrémité de son corps selon un angle délicieux de cinq degrés par rapport à la verticale. Son visage était la perfection même, depuis le front délicatement bombé jusqu'à la large bouche aux contours anguleux. Ses ovipositeurs jumeaux étaient pudiquement dissimulés par une écharpe de satin blanc style princesse qui laissait à peine entrevoir une affriolante petite portion de chair verte. Ses jambes étaient tout entières drapées de spires orangées qui révélaient uniquement la souple articulation des segments.

Elle était peut-être désespérée, mais c'était aussi la plus ravissante femme qu'il eût été donné à Marvin de contempler sur Celsus. Sa gorge se desséchait lorsqu'il la regardait, et son pouls battait la chamade. Il s'aperçut qu'il avait les yeux fixés sur le satin blanc qui cachait et révélait à la fois les ovipositeurs coquins. Il détourna pudiquement les yeux et se surprit en train de regarder avec admiration la forme sensuelle d'un membre mince et admirablement segmenté. En rougissant éperdument, il se força à se concentrer sur un charmant grain de beauté qu'elle avait sur le front.

Elle ne semblait pas s'apercevoir de l'attention fervente dont elle était l'objet. Avec naturel, elle dit :

— Nous devrions peut-être nous présenter... étant donné les circonstances.

Ils rirent tous deux immodérément de son trait d'esprit.

— Je m'appelle Marvin Flynn, dit Marvin.

— Et moi Phthistia Held, fit la jeune femme.

— Je vous appellerai Cathy, si vous n'y voyez pas d'inconvénient, dit Marvin.

A nouveau, ils rirent à l'unisson. Puis Cathy redevint soudain grave. Prenant conscience de la fuite précipitée du temps, elle dit :

— Merci, trois fois merci ; il faut que je m'en aille.

— Bien sûr, fit Marvin à regret. Mais nous n'allons pas nous dire adieu !

— Pourquoi être triste ?

— On croit toujours un peu au père Noël.

— Il ne faudrait pas que...

— L'amour c'est comme ça.

— Tu oublieras mon nom, murmura Cathy en lui souriant gentiment.

— Je ne peux pas t'oublier. Le temps ne fait rien à l'affaire quand on n'a que l'amour.

— Il faut croire en demain.

— Tu n'as pas toujours dit ça. Au moins, dis-moi que tu m'aimes.

Mais Cathy détourna brusquement un regard embrumé et se dirigea vers la porte sans se retourner en disant :

— Il n'y a pas d'amour heureux.

Marvin la regarda partir avec mélancolie.

— Que c'est bête la vie ! dit-il en commandant un Dubonnet.

— La vie est un tourbillon, fit avec sympathie le garçon de restaurant. Allez savoir pourquoi l'amour c'est comme ça.

— Elle a dit non. Elle était belle pourtant.

— Les filles c'est comme ça. Elles sont futées. L'amour est un joli bateau.

— Dire que nous aurions pu connaître avril au Portugal, fit tristement Marvin, ou bien une valse d'été sous le ciel de Paris, les rues d'Acapulco et le temps des cerises.

Mais au jardin de l'oubli je suis seul ce soir et pour moi Capri c'est fini.

Il aurait pu longtemps continuer à se lamenter ainsi si une voix à hauteur de sa poitrine et soixante centimètres à sa gauche n'avait chuchoté :

— Hé, Messié.

Marvin se retourna pour voir un Celsien de petite taille, rondelet et passablement déguenillé, assis sur un tabouret voisin.

— Qu'y a-t-il ? demanda-t-il avec brusquerie.

— Vous voulez voir encore oune fois peut-être la muchacha si jolie ?

— Oui, mais en quoi pourriez-vous...

— Yé souis oune grande détective, oune spécialiste des personnes disparoues, satisfaction garantie ou pas oune seul centime à payer.

— Quel est cet accent que vous avez ? demanda Marvin.

— Lombrobien, dit le détective. Yé m'appelle Juan Valdez et yé viens dé l'autre côté de la frontera pour faire fortoune dans la grande ville del Norte.

— Sablèque, fit le garçon entre ses dents derrière son comptoir.

— Qu'est-ce que j'ai entendou ? demanda le petit Lombrobien avec une suspicion cauteleuse.

— J'ai dit sablèque, sale petit sablèque, lança avec mépris le garçon.

— C'est bien cé qué j'avais crou entendre, dit Valdez.

Il sortit de dessous sa large ceinture un poignard effilé à double tranchant qu'il plongea dans le cœur du garçon, le tuant sur le coup.

— Yé souis oune homme pacifique, señor, dit-il à Marvin. Yé né mé mets pas souvent en colère. Dans mon village natal de Montaña Verde de los Tres Picos yé souis considéré comme oune homme bon. Yé né démande rien d'autre qué dé coultiver mon champ dé peyotl au pied des montagnes de Lombrobie à l'ombre de l'arbre appelé

102

« sombrero » parce que ce sont les meilleurs peyotls dou monde.

— Je comprends, dit Marvin.

— Et pourtant, continua Valdez d'une voix durcie, quand oune exploitator del Norte m'insoulte et en m'insoultant jette l'opprobre et l'infamie sour ceux qui m'ont donné le jour, alors, señor, un voile rouge obscurcit mon champ de vision et le couteau de la vengeance surgit d'emblée dans ma main courroucée et trouve le chemin du cœur du misérable vilipendeur du peuple.

— N'importe qui en ferait autant, dit Marvin.

— Et pourtant, malgré mon sens aigu de l'honneur, je suis essentiellement intuitif, facile à vivre et bon enfant.

— Je l'avais remarqué, reconnut Marvin.

— C'est ainsi. Mais laissons cela pour l'instant. Vous voulez m'engager pour retrouver femme ? O.K. El buen pano en el arca se vende, verdad ?

— Si, hombre, répliqua Marvin en riant. Y el deseo vence al miedo !

— Pues, adelante !

Et bras dessus bras dessous, les deux compagnons s'enfoncèrent dans la nuit cloutée des mille fers de lances des célestes armées.

19

Une fois sorti du restaurant, Valdez tourna sa moustache brune vers les cieux et repéra la constellation Invidius qui, sous les latitudes nordiques, indique exactement la direction nord-nord-ouest. En prenant cela comme ligne de base, il établit des recoupements à l'aide du vent sur sa joue (direction ouest, vitesse 8 km/h) et de la mousse des arbres (croissant sur la face nord des troncs à raison d'un millimètre par jour). Il se ménagea une marge d'erreur de vingt centimètres pour un kilomètre à l'ouest (effet de dérive) et de dix millimètres par mètre au sud (tropisme composé). Puis, ayant tenu compte de tous ces facteurs, il marcha d'un pas décidé en direction du sud-sud-ouest.

Marvin suivit. Une heure plus tard, ils avaient quitté la ville et progressaient dans une région de champs déchaumés. Au bout d'une nouvelle heure, ils laissaient derrière eux les derniers signes de civilisation pour pénétrer dans un désert de granite chaotique et de feldspath miteux.

Comme Valdez ne faisait pas mine de vouloir s'arrêter, Marvin se mit à éprouver des doutes.

— Exactement où allons-nous ? demanda-t-il enfin.

— Retrouver votre Cathy, dit Valdez dont le sourire étincelant éclairait un visage terre de Sienne brûlée.

— Elle habite vraiment si loin de la ville ?

— Je n'ai aucune idée de l'endroit où elle habite, répondit Valdez en haussant les épaules.

— Aucune ?

— Aucune.

Marvin s'arrêta brusquement :

— Mais vous disiez que vous le saviez !

— Je n'ai jamais dit ni laissé entendre une chose pareille, fit Valdez en plissant son front brun. J'ai simplement promis de vous aider à la retrouver.

— Mais si vous ne savez pas où elle habite…

— Ça n'a pas la moindre importance, affirma Valdez en levant gravement un index basané. Notre propos n'est pas de déterminer l'endroit où habite Cathy ; notre propos est de retrouver Cathy elle-même. C'est du moins ce que j'avais cru comprendre.

— Oui, bien sûr, dit Marvin. Mais si nous n'allons pas à l'endroit où elle habite, alors où allons-nous ?

— A l'endroit où elle sera, dit Valdez d'une voix sereine.

— Ah, commenta Marvin.

Ils marchèrent en silence parmi des amoncellements de merveilles minérales et arrivèrent en vue de contreforts pelés évoquant des morses fatigués allongés tout autour de la baleine bleue d'une puissante chaîne de montagnes. Une autre heure passa, et Marvin à nouveau éprouva des doutes. Mais cette fois-ci il exprima son anxiété de façon indirecte, espérant par la ruse éclairer son incertitude.

— Vous connaissez Cathy depuis longtemps ? demanda-t-il.

— Je n'ai jamais eu le privilège de la rencontrer, répondit Valdez.

— Vous l'avez donc vue pour la première fois avec moi dans le restaurant ?

— Malheureusement je ne l'ai même pas vue, car j'étais aux toilettes occupé à évacuer un calcul rénal pendant que vous discutiez avec elle. Il est possible que je l'aie aperçue au moment où elle sortait, mais plus probablement je n'ai vu que l'effet Doppler produit par le mouvement de la porte rouge.

— Vous ne savez donc absolument rien sur elle ?

— Uniquement le peu que vous m'en avez dit, ce qui très franchement représente trois fois rien.

— Dans ce cas, demanda Marvin, comment pourriez-vous donc me conduire à l'endroit où elle sera ?

— C'est assez simple. Un instant de réflexion devrait vous donner la réponse.

Marvin réfléchit pendant plusieurs instants, mais la question demeura réfractaire.

— Considérez logiquement les choses, dit Valdez. Quel est mon problème ? Trouver Cathy. Que sais-je de Cathy ? Rien.

— Ce n'est pas très encourageant, fit remarquer Marvin.

— Mais ce n'est que la moitié du problème. Puisque je ne sais rien de Cathy, que sais-je de *trouver* ?

— Hein ?

— Il se trouve que pour ce qui est de Trouver je sais

tout, dit Valdez en agitant triomphalement ses mains bistres. Car je suis spécialiste de la Théorie des Recherches.

— La quoi ? demanda Marvin.

— La Théorie des Recherches, répéta Valdez, un peu moins triomphalement.

— Je vois, fit Marvin peu impressionné. Euh... toutes mes félicitations, je suis sûr que vous êtes un expert ; mais si vous ne savez rien de Cathy, je ne vois pas en quoi n'importe quelle théorie peut vous aider.

Valdez soupira patiemment et porta une main hâlée à sa moustache.

— Ecoutez, supposons que vous sachiez tout sur Cathy — ses goûts, ses habitudes, ses amis, ses désirs, ses craintes, ses intentions, ses rêves et ainsi de suite... croyez-vous que vous seriez capable de la retrouver ?

— J'en suis certain, affirma Marvin.

— Même sans connaître la Théorie des Recherches ?

— Oui.

— Parfait. Maintenant, appliquons le même raisonnement à la condition inverse. Je sais tout ce qu'il y a à savoir sur la Théorie des Recherches, et par conséquent je n'ai rien à savoir sur Cathy.

— Etes-vous sûr que ce soit la même chose ? demanda Marvin.

— Obligatoirement. Après tout, une équation est une équation. La résoudre par un bout peut prendre plus longtemps que la résoudre par l'autre bout, mais le résultat est le même. Je dirai même que nous avons de la chance de ne rien savoir sur Cathy. Parfois, les données spécifiques interfèrent fâcheusement avec l'application correcte d'une théorie. Mais dans le cas présent nous n'avons pas à redouter un tel inconvénient.

Ils poursuivirent vaillamment leur marche sur le versant de plus en plus abrupt de la montagne. Un vent aigre leur cinglait le visage, et des plaques de gelée blanche commençaient à apparaître sous leurs pas. Valdez parlait de ses recherches sur la Théorie des Recherches, citant les cas typiques suivants : Hector cherchant Lysandre, Adam courant après Eve, Galaad partant en quête du Saint-Graal, Fred C. Dobbs essayant de découvrir le trésor de la Sierra Madre, Edwin Arlington Robinson menant ses investigations sur l'auto-expression authentique dans un milieu américain moyen, l'énergie poursuivant l'entropie, Dieu persécutant les hommes, et le yang talonnant le yin.

— De tous ces cas particuliers, expliqua Valdez, nous inférons la notion de Recherche et ses corollaires les plus importants.

Marvin était trop malheureux pour répondre. Il lui était soudainement venu à l'esprit que l'on pouvait perdre la vie dans ces solitudes arides et glacées.

— Il est amusant de constater, poursuivit Valdez, que la Théorie des Recherches nous impose comme conclusion immédiate que rien ne peut être véritablement (ou idéalement) perdu. Car réfléchissez : pour qu'une chose soit perdue, il est nécessaire qu'il existe un endroit où elle puisse se perdre. Or, il n'existe aucun endroit de ce genre puisque la simple multiplicité n'implique nullement la différenciation qualitative. En termes de Recherche, n'importe quel endroit en vaut un autre. Nous sommes donc obligés de remplacer le concept « perdu » par le concept « emplacement indéterminé », qui naturellement se prête à l'analyse logico-mathématique.

— Mais si Cathy n'est pas vraiment perdue, dit Marvin, nous ne pouvons pas vraiment la retrouver.

— Cette affirmation est en soi exacte, dit Valdez. Mais naturellement elle ne constitue qu'une notion idéale qui ne peut guère nous aider dans le cas qui nous intéresse. Pour des raisons purement opérationnelles, nous devons modifier la Théorie des Recherches. En fait, nous devons inverser la prémisse majeure de la théorie et réaccepter les concepts originaux de « perdu » et « trouvé ».

— Ça me paraît très compliqué, dit Marvin.

— La complexité est plus apparente que réelle, le

rassura Valdez. Une analyse détaillée du problème donne aisément la solution. Soit la proposition : « Marvin cherche Cathy. » Pensez-vous qu'elle décrive suffisamment votre situation ?

— Je pense, répondit prudemment Marvin.

— Bon. Qu'est-ce que cette proposition implique ?

— Elle implique… elle implique que je cherche Cathy.

Valdez secoua d'un air contrarié sa tête muscade :

— Ne soyez pas si impatient, mon jeune ami ! Essayez de regarder un peu plus loin ! L'identité n'est pas l'inférence. Cette proposition exprime la valeur active de votre quête, et par conséquent implique le caractère passif de l'état d'objet cherché de Cathy. Mais en réalité ce n'est pas vrai. La passivité de Cathy est inacceptable car en dernière analyse chacun se cherche soi-même, et personne n'échappe à la règle. Nous devons donc accepter la quête de vous (en réalité d'elle-même) par Cathy, de même que nous acceptons la quête de Cathy (en réalité de vous-même) par vous. Nous obtenons donc notre permutation primaire : « Marvin cherche Cathy qui cherche Marvin. »

— Vous croyez vraiment qu'elle me cherche ? demanda Marvin.

— C'est évident, même si elle ne le sait pas. Après tout, c'est une personne adulte et qui jouit de toutes ses facultés ; on ne peut pas la considérer comme un simple objet, quelque chose que l'on peut perdre comme ça. Nous devons lui reconnaître une certaine autonomie et admettre que si vous la trouvez, elle vous trouve de la même façon.

— Je n'y avais jamais pensé, dit Marvin.

— C'est très simple, du moment que vous comprenez la théorie. Maintenant, afin de garantir notre succès, il nous est nécessaire de déterminer la meilleure stratégie de recherche à appliquer à votre cas. Il est bien évident que si vous vous recherchez activement tous les deux, vos chances de vous trouver sont considérablement amoindries. Prenez par exemple deux personnes qui se cherchent parmi la foule d'un grand magasin. La meilleure stratégie est que l'une d'elles reste à un endroit déterminé et attende d'être trouvée tandis que l'autre la cherche. La démonstration mathématique est un peu délicate, aussi vous devrez me croire sur parole. La seule chance pour que vous (ou elle) la trouviez (ou vous trouve) est que l'un de vous cherche et l'autre attende d'être cherché (ou cherchée). La sagesse populaire a d'ailleurs toujours empiriquement procédé ainsi.

— Alors, que faisons-nous ?

— Je viens de vous l'expliquer ! s'écria Valdez. L'un cherche et l'autre attend. Comme nous n'avons aucun contrôle sur les actions de Cathy, nous pouvons penser qu'elle fait ce que son instinct lui dicte et qu'elle vous cherche. Vous devez donc surmonter votre propre instinct et ne pas la chercher pour vous laisser trouver par elle.

— Je n'ai rien d'autre à faire qu'attendre ?

— Exactement.

— Et vous êtes sûr qu'elle me trouvera ?

— Je parierais ma vie.

— Euh... bon. Mais dans ce cas, où allons-nous maintenant ?

— Dans un endroit où vous commencerez à attendre. Techniquement, nous appelons cela le Point de Localisation.

Comme Marvin paraissait perplexe, Valdez poursuivit son explication :

— Mathématiquement parlant, tous les endroits ont une potentialité identique en ce qui concerne ses chances de vous trouver. Nous sommes donc en mesure de choisir arbitrairement notre Point de Localisation.

— Quel est le Point de Localisation que vous avez choisi ? demanda Marvin.

— J'ai sélectionné au hasard le village de Montaña Verde de los Tres Picos, dans la province d'Adelante, en Lombrobie.

— C'est votre village natal, n'est-ce pas ? demanda Marvin.

— C'est vrai, admit Valdez d'une voix légèrement surprise et amusée. Je suppose que c'est pour cela que ce nom m'est venu si vite à l'esprit.

— Est-ce que la Lombrobie n'est pas loin d'ici ?

— Assez loin, en effet. Mais nous ne perdrons pas notre temps car je vous enseignerai en chemin la logique et les chansons folkloriques de mon pays.

— Ce n'est pas chic, murmura Marvin entre ses dents.

— Mon ami, lui dit Valdez, lorsque vous acceptez de l'aide de quelqu'un, vous devez être prêt à prendre ce que l'on est capable de vous donner, et non ce que vous aimeriez recevoir. Je n'ai jamais prétendu que je n'avais pas de faiblesses comme n'importe quel autre être humain. Mais je vous trouve ingrat d'y faire si lourdement allusion.

Les choses en restèrent là, car Marvin ne se sentait pas capable de retrouver tout seul le chemin de la ville. Ils poursuivirent donc leur route à travers la montagne, et chantèrent beaucoup de chansons folkloriques, mais il faisait trop froid pour la logique.

20

Ils progressaient lentement le long de la face lisse et polie d'une vaste montagne. Le vent hurlait et gémissait, déchirant leurs vêtements et raidissant leurs doigts. Une glace traîtresse se dérobait sous leurs pieds lorsqu'ils cherchaient un appui stable et leur corps souffleté par le vent se plaquait comme une sangsue contre la paroi scintillante.

Valdez supportait cette épreuve avec une équanimité digne d'un saint.

— Yé sais qué c'est pénible, dit-il en souriant. Mais pour l'amour dé cette muchacha, qué né fériez-vous pas, hein ?

— Oui, assurément, grommela Marvin. Mais il commençait à avoir des doutes. Après tout, il n'avait connu Cathy que pendant moins d'une heure.

Une avalanche gronda, et des tonnes de mort blanche se déversèrent avec un horrible fracas à quelques centimètres de leurs corps transis. Valdez sourit avec sérénité. Marvin frémit d'angoisse.

— Au-delà de tous ces obstacles, murmura Valdez d'une voix chantante, se trouve la récompense du visage aimé.

— Certes, approuva Marvin. Certes.

Des aiguilles de glace détachées d'une saillie tombèrent en tournoyant autour d'eux. Marvin essaya de penser à Cathy et s'aperçut qu'il était incapable de se rappeler à quoi ressemblait son visage. Il se dit amèrement que la réputation du coup de foudre était largement surfaite.

Un énorme précipice béait devant eux. Marvin le regarda, regarda les étendues de glace miroitante qui continuaient à perte de vue et parvint à la conclusion que le jeu ne valait pas vraiment la chandelle.

— Je crois, dit-il timidement, que nous devrions rebrousser chemin.

Valdez sourit finement, s'arrêta à l'extrême bord de la descente vertigineuse vers l'enfer glacé qui scintillait au-dessous d'eux.

— Yé sais pourquoi vous dites cela, mon ami, fit-il.

— Vous le savez ?

— Bien sûr. Il est évident que vous ne voulez pas me voir risquer ma vie dans la poursuite de votre téméraire et noble dessein. Et il est également évident que vous avez l'intention de continuer tout seul.

— Vraiment ? demanda Marvin.

— Naturellement. L'observateur le plus inattentif ne manquerait pas de s'apercevoir que votre caractère irréductible vous pousse à rechercher l'objet de votre amour en dépit de toutes les difficultés qui peuvent se dresser sur votre route. Et il n'est pas moins clair que votre nature généreuse répugne à l'idée d'entraîner celui que vous considérez comme un ami sincère et compagnon de cœur dans une si périlleuse entreprise.

— C'est que, commença Marvin, je ne suis pas sûr...

— Moi, j'en suis sûr, affirma Valdez avec véhémence. Et ma réponse à votre question informulée est la suivante : l'amitié a ceci de commun avec l'amour qu'elle transcende toute limite.

— Euh, dit Marvin.

— Par conséquent, reprit Valdez, il n'est pas question pour moi de vous abandonner. Nous entrerons ensemble dans l'antre de la mort, s'il le faut, pour l'amour de votre bien-aimée Cathy.

— C'est vraiment très aimable à vous,. dit Marvin en jetant un coup d'œil oblique au précipice, mais à vrai dire je ne connais pas tellement bien Cathy et j'ignore comment nous serions reçus ; il serait donc peut-être plus avisé de retourner...

— Comme vos paroles manquent de conviction, mon jeune ami, répondit Valdez en riant. Je vous répète que vous n'avez pas à vous inquiéter pour moi.

— En réalité, dit Marvin, c'est pour moi que je m'inquiétais.

— Inutile ! s'écria Valdez en redoublant de gaieté. Une passion ardente trahit la froideur étudiée de vos protestations. En avant, amigo !

Valdez semblait déterminé à le forcer à retrouver Cathy qu'il le veuille ou pas. La seule solution était un bon coup de poing à la mâchoire, après quoi il ramènerait Valdez et lui-même à la civilisation. Il avança d'un pas.

Valdez recula d'un pas :

— Ah, non, mon ami ! s'écria-t-il. A nouveau votre

passion rend vos intentions transparentes. M'assommer, hein ? Et puis, après vous être assuré que je ne manquerais de rien et que je serais en sécurité, vous vous engageriez tout seul dans ces solitudes glacées. Mais je ne marche pas. Nous resterons ensemble pour le meilleur et pour le pire, compadre !

Et, prenant toutes les provisions sur son dos, Valdez attaqua résolument la descente. Marvin ne put que le suivre.

Nous n'infligerons pas au lecteur le compte rendu de leur longue marche à travers les montagnes de Moorescu, ni la description des souffrances qu'ils connurent. Nous n'essaierons pas non plus de donner une idée des étranges hallucinations qui guettent le voyageur dans ces contrées hostiles, ni de la crise de folie temporaire qui frappa Valdez lorsqu'il crut être un oiseau capable de franchir un gouffre de trois cents mètres de profondeur. De même, le spécialiste seul serait intéressé par le curieux cheminement psychologique qui amena Marvin, après contemplation de ses lourds sacrifices, à éprouver pour la jeune fille en question un certain attachement, puis un attachement sincère, puis une sensation d'amour, puis un véritable amour, puis une irrésistible passion.

Qu'il nous suffise de dire que toutes ces choses arrivèrent, et que le voyage à travers la montagne occupa de nombreux jours et causa de nombreuses émotions. Puis il finit par prendre fin.

En arrivant au sommet d'une crête, Marvin baissa les yeux et vit, au lieu des habituels champs de glace, des étendues de vertes prairies et de forêts vallonnées sous un soleil d'été, et un minuscule village niché au creux d'une paisible rivière.

— C'est… c'est bien…, commença Marvin.

— Oui, mon fils, dit doucement Valdez. C'est le village de Montaña de los Tres Picos, dans la province d'Adelante, en Lombrobie, dans la vallée de la Lune Bleue.

Marvin remercia son vieux gourou — car il n'y a aucun autre nom pour le rôle qu'avait joué le saint et tortueux Valdez — et commença sa descente vers le Point de Localisation où désormais il attendrait Cathy.

21

Montaña de los Tres Picos! Là, au milieu des montagnes et des lacs aux eaux cristallines, une population de paysans au cœur simple et généreux se livre à ses occupations tranquilles parmi les palmiers à col de cygne. A minuit comme à midi, on entend l'écho plaintif d'une guitare derrière les murailles crénelées du vieux château. Et des vierges à la peau muscade soignent les vignes dorées sous le regard d'un cacique moustachu au fouet paresseusement endormi sur un poignet poilu.

C'est dans ce curieux lieu, vestige d'un passé révolu, qu'arriva Marvin Flynn, guidé par le fidèle Valdez.

Juste à l'entrée du village, sur une légère éminence, se dressait une auberge ou posada. Ce fut vers cet endroit que Valdez dirigea ses pas.

— Pensez-vous que ce soit le meilleur endroit pour attendre ? interrogea Marvin.

— Ce n'est pas le meilleur, répondit Valdez avec un sourire. Mais en nous installant ici plutôt que sur la place poussiéreuse du village, nous évitons le piège de l' « optimum ». Et puis, ce sera plus confortable ici.

Marvin s'inclina devant la sagesse supérieure de son guide moustachu, et établit ses quartiers dans la posada. Il prit position sur la terrasse, à une table qui lui permettait de dominer la rue, se fortifia d'une bouteille de vin, et se prépara à remplir la fonction qui lui était assignée par l'application de la Théorie des Recherches, c'est-à-dire : attendre.

Moins d'une heure plus tard, il vit s'avancer au loin sur la blancheur étincelante du chemin une petite forme noire. Lorsqu'elle fut plus près, il distingua la silhouette d'un vieillard courbé sous le poids d'un objet cylindrique qu'il portait sur le dos. A la fin, le vieillard releva sa tête hagarde et regarda Marvin dans les yeux.

— Oncle Max ! s'écria Marvin.

— Comment vas-tu, Marvin ? demanda Oncle Max. Veux-tu me verser un verre de vin ? La route est longue et poussiéreuse.

Marvin versa le verre de vin. C'est à peine s'il acceptait le témoignage de ses sens. L'oncle Max avait mystérieusement disparu il y avait une dizaine d'années de cela. La dernière fois que quelqu'un l'avait vu, il était au Country Club de Fairhaven en train de jouer au golf.

— Que t'est-il arrivé ? demanda Marvin.

— Je suis tombé dans un repli du temps à la sortie du douzième trou, répondit Oncle Max. Si jamais tu retournes sur la Terre, Marvin, j'aimerais que tu en touches un mot au directeur du club. Je n'ai pas l'habitude de me plaindre, tu le sais, mais le comité devrait être mis au courant afin que des dispositions soient prises. Il faudrait mettre une barrière ou une protection quelconque. Ce n'est pas à moi que je pense, mais imagine le scandale que cela pourrait causer si un enfant tombait dedans.

— Je ne manquerai pas de les prévenir, dit Marvin. Mais où vas-tu comme ça, Oncle Max ?

— J'ai un rendez-vous à Samarra. Merci pour le vin, mon garçon, et porte-toi bien. A propos, as-tu remarqué que ton nez fait tic-tac ?

— Oui, dit Marvin. C'est une bombe.

— Je suppose que tu sais ce que tu fais, répliqua Oncle Max. Au revoir, Marvin.

Et le vieillard s'éloigna pesamment sur la route, un sac

de golf au dos et un fer n° 2 à la main en guise de canne. Marvin reprit sa longue attente.

Une demi-heure plus tard, une silhouette de femme se rapprocha rapidement. Il se dressa plein d'un soudain espoir, mais se rassit bientôt sur sa chaise. Ce n'était pas Cathy. Ce n'était que sa mère.

— Tu es bien loin de la maison, maman, dit-il doucement.

— Je sais, Marvin, lui répondit sa mère. Mais vois-tu, j'ai été enlevée pour la traite des blanches.

— Pas possible ! Comment est-ce arrivé ?

— J'étais tout simplement en train de porter un panier de Noël à une famille pauvre du quartier de Coupegorge quand il y a eu une descente de police et divers événements, et j'ai été droguée et lorsque je me suis réveillée j'étais dans une chambre luxueuse à Buenos Aires avec un individu à côté de moi qui me lançait des regards concupiscents et qui me demandait si je voulais « qu'on s'amuse un peu ». Et malgré mon refus formel, il s'est penché vers moi et m'a saisie par la taille dans un dessein visiblement lubrique.

— Diable ! Et que s'est-il passé alors ?

— Par bonheur je me suis souvenue à ce moment-là d'une petite malice que m'avait apprise Mrs. Jasperson. Sais-tu qu'on peut tuer quelqu'un en le frappant vigoureusement sous le nez ? Eh bien, ça marche parfaitement. Ce n'est pas de gaieté de cœur que je l'ai fait, mon fils, bien qu'au début ça m'ait paru une excellente idée. Enfin, quoi qu'il en soit, je me suis retrouvée dans les rues de Buenos Aires et une chose en entraînant une autre, me voici.

— Veux-tu un peu de vin ? demanda Marvin.

— C'est très aimable à toi, lui répondit sa mère, mais il faut que je parte.

— Où ça ?

116

— A Cuba. J'ai un message à transmettre à Garcia. Mais tu t'es enrhumé, Marvin ?

— Non. C'est sans doute cette bombe dans mon nez qui me fait parler drôlement.

— Fais bien attention à toi, Marvin, lui dit sa mère en s'éloignant rapidement.

Un certain temps passa. Marvin prit son dîner sous le portique et l'arrosa d'une bouteille de Sangre de Hombre. Puis il s'installa à l'ombre du grand palladium. Le soleil étirait son derrière doré en direction des pics neigeux. Sur la route, une silhouette d'homme passait en hâte devant l'auberge.

— Papa ! s'écria Marvin.

— Bonsoir, Marvin, lui dit son père, surpris mais habile à dissimuler ses sentiments. Qu'est-ce que tu fais ici à cette heure ?

— Je pourrais te demander la même chose, dit Marvin.

Son père fronça les sourcils, rajusta sa cravate et changea sa serviette de main.

— Moi ? Ma présence ici n'a rien d'étonnant, dit-il. D'habitude ta mère vient me chercher à la gare. Mais aujourd'hui elle était en retard, alors je suis parti à pied. Et comme j'étais à pied, j'ai décidé de prendre le raccourci qui longe un côté du terrain de golf.

— Je comprends, dit Marvin.

— J'avoue, continua son père, que pour un raccourci le chemin me paraît plutôt long, car j'estime que cela fait un peu moins d'une heure, et peut-être plus, que je marche dans la campagne.

— Papa, dit Marvin, je ne sais pas comment t'annoncer la chose, mais le fait est que tu n'es plus sur la Terre.

— Je ne trouve pas cette remarque très spirituelle. Il est certain que je me suis trompé de chemin ; de plus, l'architecture ne ressemble pas à celle que l'on pourrait s'attendre à trouver dans l'Etat de New York. Mais je suis convaincu que si je continue tout droit cette route pendant

117

une centaine de mètres environ, je tomberai sur Annandale Avenue qui à son tour me conduira à l'intersection de Maple Street et de Spruce Lane. De là, naturellement, je retrouverai facilement la maison.

— Je suppose que tu as raison, soupira Marvin. Jamais il n'avait pu avoir le dernier mot dans une discussion avec son père.

— Il faut que je te quitte, Marvin. Au fait, t'es-tu rendu compte que tu as quelque chose au nez ?

— Oui, papa, dit Marvin. C'est une bombe.

Son père haussa le sourcil, lui lança un regard perçant et secoua la tête d'un air résigné. Puis il s'éloigna lentement sur la route.

— Je ne comprends pas, dit plus tard Marvin à Valdez. Comment se fait-il que tant de gens me trouvent ? Ce n'est pas naturel.

— Ça ne l'est pas, lui affirma Valdez ; mais c'est inéluctable, et c'est la seule chose qui compte.

— Peut-être, mais c'est tout de même hautement improbable.

— Si vous voulez, admit Valdez. Quoique nous préférions généralement parler de « probabilité forcée », ce qui signifie qu'il s'agit d'une variable concomitante de la Théorie des Recherches.

— Je ne vous suis pas très bien.

— C'est extrêmement simple. La Théorie des Recherches est une théorie pure. Ce qui signifie que sur le papier elle marche à tous les coups, sans aucune réfutation possible. Mais si de cette notion idéale nous passons à l'application pratique, certaines difficultés surgissent, dont la plus importante est causée par le phénomène d'indétermination. En termes très simples, ce qui se passe c'est que l'existence de la Théorie modifie le fonctionnement de la Théorie. Voyez-vous, la Théorie ne peut tenir compte des effets de sa propre existence sur elle-même. Idéalement, la Théorie des Recherches existe dans un univers où il n'y a pas de Théorie des Recherches. Mais

118

pratiquement — et c'est le point de vue qui nous intéresse — nous sommes dans un monde où il existe une Théorie des Récherches, qui a sur elle-même ce que nous appelons un effet « de miroir », ou « de répétition ». D'après certains auteurs, il existe même un danger très réel de « duplication infinie », où la Théorie se modifie continuellement en fonction de modifications antérieures de la Théorie par la Théorie, ce qui finit par aboutir à un état d'entropie où toutes les possibilités ont la même valeur. Cette hypothèse est connue sous le nom de Paradoxe de Von Gruemann et son intérêt est de mettre en évidence l'erreur qui consiste à attribuer un effet de causalité à une simple séquence. Est-ce plus clair maintenant ?

— Je crois, dit Marvin. La seule chose que je ne comprends pas, c'est l'incidence exacte de l'existence de la Théorie sur la Théorie.

— Je pensais vous l'avoir expliqué. L'effet « primaire » ou « naturel » d'une théorie des recherches sur une théorie des recherches est bien sûr d'augmenter la valeur de lambda-khi.

— Hum, fit Marvin.

— Lambda-khi est naturellement la représentation symbolique de la raison inverse de toutes les recherches possibles et de toutes les découvertes possibles. Donc, lorsque lambda-khi croît à la suite de l'indétermination des autres facteurs, la probabilité d'échec de la recherche tend rapidement vers zéro tandis que la probabilité de succès tend rapidement vers un. C'est ce que l'on appelle le Facteur d'expansion statique.

— Cela signifie-t-il, demanda Marvin, qu'en raison de l'effet de la Théorie des Recherches sur la Théorie des Recherches, concrétisé par le Facteur d'expansion statique, toutes les recherches doivent être couronnées de succès ?

— Exactement. Vous venez de l'exprimer magnifiquement, quoique peut-être avec insuffisamment de rigueur. Toutes les recherches possibles seront couronnées de succès dans la limite de la durée du Facteur d'expansion statique.

— Maintenant je comprends, dit Marvin. D'après la théorie, je dois retrouver Cathy.

— C'est exact ; vous devez retrouver Cathy. En fait, vous devez retrouver tout le monde. La seule limitation est le Facteur d'expansion statique, ou F.E.S.

— Ah ? fit Marvin.

— Nous venons de démontrer que toutes les recherches devaient aboutir dans la limite de durée du F.E.S. Mais la durée du F.E.S. est une variable comprise entre 6,3 microsecondes et 1 005,34543 ans.

— Combien de temps durera le F.E.S. dans mon cas particulier ? demanda Marvin.

— J'en connais beaucoup qui donneraient cher pour savoir la réponse à cette question-là, fit Valdez en riant de bon cœur.

— Vous voulez dire que vous ne savez pas ?

— Mon cher ami, le travail de plusieurs vies a été nécessaire simplement pour établir l'existence du Facteur d'expansion statique. Lui attribuer une valeur numérique exacte pour tous les cas existants serait à la rigueur faisable, j'imagine, si le F.E.S. était une simple variable. Mais il s'agit en l'occurrence d'une variable *contingente,* ce qui est une tout autre paire de manches. Voyez-vous, le calcul des contingences est une nouvelle branche des mathématiques que personne jusqu'à présent ne peut se vanter d'avoir maîtrisé totalement.

— Je redoutais cela, dit Marvin.

— La science est un maître cruel, approuva Valdez. Puis il ajouta avec un clin d'œil joyeux : Mais il est des accommodements même avec les maîtres les plus cruels.

— Vous voulez dire qu'il y a une solution ?

— Pas une solution orthodoxe, malheureusement. Il s'agit de ce que les théoriciens de la Recherche appellent « solution de contrebande » et qui consiste en une application pragmatique d'une formule qui possède statistiquement un assez haut degré de corrélation avec les solutions requises. Mais en tant que théorie, aucune base rationnelle ne permet de présumer sa validité.

— Essayons toujours, dit Marvin, s'il y a une chance pour que cela marche.

— J'aime autant pas. Les formules irrationnelles, quel que soit leur degré de succès apparent, me dépriment un peu en raison de leurs inquiétantes implications selon quoi la logique suprême des mathématiques pourrait être somme toute fondée sur d'énormes absurdités.

— Je me permets d'insister, dit Marvin. Après tout, c'est moi qui cherche.

— Cela n'a rien à voir avec l'aspect mathématique du problème. Mais je suppose que vous ne me laisserez pas de paix tant que je ne vous aurai pas fait plaisir.

En soupirant d'un air malheureux, Valdez sortit de son rebozo un morceau de papier et un crayon, et demanda :

— Combien de pièces de monnaie avez-vous dans la poche ?

Marvin vérifia et répondit : « Huit. »

Valdez écrivit ce chiffre, puis demanda à Marvin sa date de naissance, son numéro de sécurité sociale, la pointure de ses souliers et sa taille en centimètres. Il le pria ensuite de choisir au hasard un nombre entre un et quatorze. Il fit le total et se livra à de mystérieux calculs pendant plusieurs minutes.

— Eh bien ? demanda Marvin lorsqu'il parut avoir fini.

— N'oubliez surtout pas, le prévint Valdez, que ce résultat empirique n'a qu'une valeur de probabilité statistique, sans autre base de créance.

Marvin hocha la tête.

« La durée du Facteur d'expansion statique dans votre cas particulier, poursuivit Valdez, devrait expirer exactement dans une minute quarante-huit secondes, plus ou moins cinq minimicrosecondes. »

Marvin était sur le point de protester véhémentement et de demander à Valdez pourquoi il n'avait pas effectué plus tôt ces calculs vitaux lorsque son attention fut attirée par un point en mouvement sur le chemin dont la blancheur éclatante ressortait singulièrement sur le riche bleu du soir.

Une silhouette s'avançait lentement vers la posada.

— Cathy ! s'écria Marvin. Car c'était elle.

— Recherche terminée à quarante-trois secondes de la fin du Facteur d'expansion statique, commenta Valdez. Une autre réussite expérimentale à porter au crédit de la Théorie des Recherches.

Mais Marvin ne l'écoutait pas, car il s'était précipité dans la rue pour serrer dans ses bras sa bien-aimée dont il était depuis si longtemps séparé. Et Valdez, fidèle et taciturne compagnon de la Longue Marche, sourit avec mélancolie et commanda une nouvelle bouteille de vin.

22

Ainsi ils étaient enfin réunis, Cathy la belle au destin planétaire parsemé d'étoiles, attirée par l'étrange alchimie du Point de Localisation, et Marvin le fort, Marvin le généreux qui avait relevé, avec l'audace et l'assurance tranquilles de la jeunesse, le défi d'un vieil univers compliqué, avec à ses côtés Cathy, plus jeune que lui par les ans, et cependant combien plus vieille par son héritage féminin de sagesse intuitive, Cathy la magnifique, dont le beau regard sombre paraissait dissimuler une mélancolie secrète, présage de tristesse anticipée dont Marvin ne se doutait que dans la mesure où il éprouvait le désir invincible de chérir et de protéger cette petite fille d'aspect fragile avec son secret qu'elle ne pouvait pas révéler, elle qui était venue à lui qui n'avait aucun secret qu'il aurait pu révéler.

Leur bonheur était à la fois terni et ennobli. Il y avait cette bombe dans le nez de Marvin, dont le tic-tac inexorable scandait le destin seconde par seconde tel un strict métronome fournissant la mesure à leur danse d'amour. Mais ce sentiment d'inéluctabilité avait également pour effet de rapprocher leurs deux destinées opposées et de leur conférer un immense degré de signification et de grâce.

Il créa des cascades pour elle avec la rosée du matin ; et avec les cailloux colorés d'un ruisseau, lui fit un collier plus splendide que les émeraudes, plus triste que les perles. Elle le captura dans le filet de sa chevelure de soie, et l'emporta au fond des eaux silencieuses au-delà de l'oubli. Il lui montra des étoiles gelées et des soleils en fusion ; elle lui donna de longues ombres entrelacées, et le noir froissement du velours. Il tendit la main vers elle, et toucha de la mousse, de l'herbe, des arbres vénérables et des cailloux iridescents. Elle tendit les doigts vers le ciel, et effleura d'antiques planètes, le clair de lune argenté, la traînée d'une comète et le cri d'un soleil en liquéfaction.

Ils jouèrent à des jeux où il mourait et elle vieillissait, rien que pour la joie simple de renaître. Ils disséquèrent le temps avec de l'amour, et le réassemblèrent lentement, longuement et en mieux. Ils inventèrent des jouets avec les montagnes, les plaines, les lacs et les vallées. Leurs âmes scintillaient comme de la fourrure soyeuse.

Ils étaient des amants, et ne concevaient rien d'autre que l'amour. Mais certaines choses les haïssaient. Les souches mortes, les aigles stériles et les mares stagnantes enviaient leur bonheur. Et d'impitoyables principes de changement ignoraient leurs déclarations, indifférents aux intentions humaines, uniquement acharnés à poursuivre leur œuvre de destruction de l'univers. Certaines causes actives, résistant à l'évolution, s'empressaient d'obéir à d'anciennes directives inscrites sur les os, dessinées dans le sang ou tatouées sur la face interne de l'épiderme.

Il y avait une bombe qui attendait d'exploser ; il y avait un secret qui attendait d'être trahi. Et de la peur naissaient la connaissance et la tristesse.

Un matin, Cathy disparut comme si elle n'avait jamais existé.

23

Partie ! Cathy était partie ! Non, ce n'était pas possible. La vie, cet horrible pince-sans-rire, était-elle à nouveau en train de lui jouer un de ses tours ?

Marvin refusait de le croire. Il fouilla les alentours de la posada, explora patiemment le village. Cathy était partie. Il continua à chercher dans la ville voisine de San Ramon de las Tristezas et interrogea serveuses, propriétaires, commerçants, prostituées, agents de police, souteneurs, mendiants et autres habitants. Il leur demanda s'ils avaient rencontré une fille belle comme l'aurore, aux cheveux de rêve, aux membres sans pareils, au visage dont l'harmonie n'avait d'égale que la pureté. Et tous ceux qu'il questionnait répondaient tristement en hochant la tête : « Hélas, señor, jamais nous n'avons rencontré ni ne rencontrerons pareille femme. »

Il s'apaisa suffisamment pour fournir un signalement cohérent, et trouva un cantonnier qui avait vu une fille ressemblant à Cathy voyageant vers l'ouest dans une grande automobile aux côtés d'un homme corpulent qui fumait un cigare. Et un ramoneur l'avait aperçue en train de quitter la ville avec un sac à main or et bleu. Sa démarche était décidée et elle ne s'était pas retournée une seule fois.

Puis un pompiste lui remit un billet griffonné à la hâte où Cathy lui disait : « Cher Marvin, j'espère que tu essayeras de me comprendre et de me pardonner. Comme j'ai tenté de te l'expliquer plusieurs fois, il est nécessaire que je... »

Le reste du billet était illisible. Avec l'aide d'un cryptoanalyste, Marvin déchiffra les derniers mots qui étaient : « Mais je t'aimerai toujours, et j'espère que tu trouveras dans ton cœur un peu de place pour m'accorder de temps à autre une pensée gentille. Ta Cathy qui t'aime. »

Le reste du billet, que la douleur rendait énigmatique, échappait à toute analyse humaine.

Décrire les émotions qui étreignirent Marvin à la lecture de ce billet équivaudrait à essayer de décrire le vol du héron à l'aube : les deux choses sont indicibles autant qu'ineffables. Qu'il nous suffise de mentionner que Marvin envisagea le suicide, mais qu'il se ravisa en raison du caractère superficiel d'un tel geste.

Rien n'était à la mesure de sa douleur. Boire était bêtement sentimental, et renoncer au monde lui apparaissait comme une bouderie d'enfant gâté. Devant l'inadéquation des attitudes qui s'offraient à lui, Marvin préféra ne rien faire. L'œil sec et la démarche raide, il traversa comme un zombie ses journées et ses nuits. Il marcha, il parla, il alla jusqu'à sourire même. Jamais il ne manquait aux règles de la courtoisie. Mais pour son cher ami Valdez, le véritable Marvin avait disparu dans un tourbillon de douleur, et à sa place était remonté à la surface un pauvre hère qui n'était que la parodie d'un homme. Marvin n'existait plus ; le sosie qui l'avait remplacé paraissait à chaque instant sur le point de s'écrouler sous le poids d'un effort d'imitation trop lourd à soutenir.

Valdez était à la fois désolé et perplexe. Jamais le vieux Maître des Recherches ne s'était trouvé en présence d'un cas si difficile. Avec une énergie désespérée, il s'efforça d'arracher son ami à son état de mort vivant. Il essaya la sympathie :

— Je sais exactement ce que vous ressentez, mon cher et infortuné compagnon, car jadis, lorsque j'étais plus jeune, j'ai eu une expérience tout à fait comparable et j'ai appris...

Cela fut sans effet, aussi Valdez essaya la brutalité :

— Sacré bon sang, je veux être changé en fer à repasser si je comprends pourquoi vous en avez encore après cette pépée qui vous a laissé choir comme une peau d'hareng. Par la barbe de mes ancêtres je vous le dis : il y a plus de filles qu'on ne peut en compter dans ce bas monde, et un homme n'est pas digne de ce nom s'il se terre dans son coin alors qu'il y a tant de cœurs à prendre sans...

Pas de réponse. Valdez essaya le dépaysement total :

— Regardez, regardez là-bas. Je vois trois oiseaux perchés sur une branche, et l'un d'eux a un poignard planté en travers de la gorge et étreint un sceptre dans ses griffes ; pourtant, son chant est plus joyeux que celui des deux autres. Que dites-vous de ça, hein ?

Marvin n'avait rien à dire. Sans se décourager, Valdez essaya de secouer son ami en faisant appel à sa pitié :

— Si vous pouviez savoir, Marvin ! Les médecins ont examiné cette éruption que j'ai depuis quelque temps, et ont diagnostiqué un impétigo pandémique. Ils me donnent douze heures à vivre à vue de nez, après ça je ramasse ma mise et je cède la place à un autre. Mais pour mes douze dernières heures, ce que j'aimerais c'est...

Rien à faire. Valdez essaya d'émouvoir son ami en faisant appel à la simple philosophie du terroir :

— Les paysans savent à quoi s'en tenir, Marvin. Savez-vous ce qu'ils disent ? Ils disent qu'un couteau brisé fait une bien piètre canne. Vous devriez méditer cela, mon ami...

Mais Marvin était incapable de méditer quoi que ce

126

soit. Valdez eut recours à l'Ethique Hyperstrasienne telle qu'elle est formulée dans le Parchemin timomachéen :

— Tu te juges blessé ? Mais considère ceci : le Moi est Indicible et Unitaire, et non susceptible d'Extériorité. Ce n'est par conséquent qu'une simple *Blessure* qui a été *Blessée*; et ceci étant Extérieur au Sujet et Etranger à l'Intériorité du Moi, n'offre aucune base valable à l'Implication de Douleur.

Marvin ne se laissa pas ébranler par cet argument. Valdez fit appel à la psychologie :

— La perte de l'être aimé, selon Steinmetzer, est une reconstitution rituelle de la perte du Moi Fécal. Il est donc amusant de constater que lorsqu'on croit pleurer l'être cher, on regrette en réalité la perte irréparable de ses propres excréments.

Mais cela non plus ne réussit pas à percer la cuirasse de passivité derrière laquelle se retranchait Marvin. Son mélancolique détachement de toutes les valeurs humaines semblait irrévocable ; et cette impression se trouva renforcée lorsque, par un paisible après-midi, l'anneau de son nez cessa brusquement de faire tic-tac. Ce n'était pas une bombe, c'était un simple avertissement des administrés de Marduk Kras. Marvin n'était plus en danger d'avoir sa tête arrachée. Et pourtant, malgré cette bonne fortune, la grisaille de son esprit robotique demeura. Impassible, il prit mentalement note de sa libération comme quelqu'un d'autre eût observé le passage d'un nuage qui obscurcissait le soleil.

Rien ne semblait plus avoir de l'effet sur lui. Même le patient Valdez finit par déclarer :

— Marvin, vous commencez à me casser les pieds.

Mais Marvin insensible s'obstinait. Et il apparaissait à Valdez et au bon peuple de San Ramon qu'on ne pouvait plus lui venir en aide.

Comme c'était méconnaître les ressources de la nature humaine, cependant ! Car le lendemain même, contrairement à ce que l'on pouvait attendre, un événement survint qui bouleversa le cours des choses et fit éclater les vannes de la réserve où s'était retranché Marvin. Evénement banal, en vérité, qui devait déclencher toute une chaîne de causalité et précipiter notre héros dans l'une de ces innombrables tragédies tranquilles qui secouent quotidiennement l'univers.

Tout commença, assez absurdement, lorsque quelqu'un demanda l'heure à Marvin.

24

La chose se passa du côté nord de la Plaza de los Muertos, peu après le paseo du soir et quinze bonnes minutes avant matines. Marvin venait d'achever sa promenade qui l'avait conduit comme de coutume devant la statue de José Grimuchio, devant la rangée de petits cireurs adossés à la rampe de bronze du XVe siècle et la fontaine de San Briosci à l'extrémité est du mélancolique petit parc. Il venait d'arriver à hauteur du Tombeau du Roi Bâtard lorsqu'un homme s'interposa sur son chemin et leva une main impérieuse :

— Mille pardons, dit-il. Cette intrusion inopinée au sein de votre solitude me coûte autant qu'elle vous est peut-être pénible, et cependant je vous serais particulièrement reconnaissant si par hasard vous étiez en mesure de m'indiquer l'heure qu'il est.

Demande dont l'apparence inoffensive était néanmoins démentie par l'aspect de cet homme. Il était de taille moyenne et de carrure étroite, et arborait une moustache démodée du genre de celle que l'on peut voir sur le portrait de Grier du roi Morquavio Redondo. Ses vêtements, bien qu'élimés, étaient propres et soigneusement repassés, et ses chaussures déchirées étaient abondamment cirées. A l'index droit, il portait une chevalière en or massif aux motifs compliqués. Son regard avait la froideur d'épervier d'un homme habitué à commander.

Sa question concernant l'heure qu'il était eût été des plus banales si plusieurs horloges n'avaient entouré la petite place, offrant des estimations distinctes qui ne variaient pas de plus de deux à trois minutes.

Marvin répondit avec sa courtoisie habituelle, en jetant un coup d'œil à sa montre de cheville et en annonçant qu'il était exactement la demie.

— Je vous remercie, monsieur, répondit l'homme. Vous êtes fort aimable. Déjà la demie ? Le temps dévore notre mortalité modeste, et ne nous laisse que le résidu amer du souvenir.

Marvin hocha la tête :

— Et cependant, répondit-il, cette ineffable et impalpable quantité, le temps, que nul ne peut prétendre posséder, est en réalité notre seule possession.

L'homme acquiesça gravement, comme si Marvin avait dit quelque chose de profond au lieu d'une banalité destinée à meubler la conversation. Il s'inclina dans l'intention d'effectuer une courbette de remerciement (plus typique à vrai dire d'un âge révolu que de cette époque plébéienne qui est la nôtre), mais perdit l'équilibre et serait tombé si Marvin ne l'avait retenu et remis sur ses pieds d'une main ferme.

— Merci, dit l'inconnu sans perdre contenance. Votre prise sur le temps comme sur les hommes est fort sûre ; il vous en sera tenu compte.

Et sur ces mots il fit volte-face et s'éloigna dans l'ombre.

Marvin était perplexe. Quelque chose sonnait faux chez cet individu. Peut-être la moustache, visiblement postiche, ou les sourcils fortement crayonnés, ou la verrue artificielle sur la joue gauche ; ou peut-être étaient-ce les chaussures, qui avaient augmenté sa stature de huit

129

centimètres, ou encore la cape, renforcée d'épaulettes pour pallier l'étroitesse de la carrure. Quoi qu'il en soit, Marvin était intrigué, mais pas réellement soupçonneux, car derrière les rodomontades de cet homme, il avait entrevu les signes non négligeables d'une nature vivace et hardie.

C'est en réfléchissant à toutes ces choses que Marvin posa par hasard son regard sur sa main droite. Là, au creux de sa paume, il vit un morceau de papier. Il n'était certainement pas arrivé là par un moyen naturel. Marvin comprit que l'inconnu à la cape avait dû le glisser dans sa main au moment où il avait trébuché (ou plutôt, *fait semblant* de trébucher !).

Ce qui jetait un jour entièrement nouveau sur les événements de ces dernières minutes... En fronçant les sourcils, Marvin déplia le billet et lut :

> Si le monsieur désire apprendre quelque chose d'intéressant aussi bien pour lui que pour l'univers et dont l'importance dans le présent immédiat comme dans l'avenir lointain ne saurait être trop soulignée et ne peut être décrite en détail dans le cadre de cette note pour des raisons à la fois évidentes et suffisantes mais qui ne manqueront pas d'être explicitées le moment venu pour peu qu'une communauté d'intérêts et de considérations éthiques s'établisse, que le monsieur se rende sur le coup de la neuvième heure à la Taverne du Pendu et qu'il prenne une table dans le coin au fond et à gauche près des embrochures jumelles ; qu'il porte une rose blanche à son revers et qu'il tienne à la main droite un exemplaire du *Diario de Celsus* (édition 4 étoiles) tout en tambourinant sur la table avec le petit doigt de sa main gauche selon un rythme qu'il choisira au hasard. Ces instructions ayant été respectées, Quelqu'un viendra à vous et vous mettra au courant de ce que nous sommes sûrs que vous aimeriez savoir.

> (signé) Quelqu'un Qui Vous Veut du Bien.

Marvin médita un long moment sur le contenu de ce billet et ses implications. Il avait l'impression que de quelque façon, qu'il était incapable d'imaginer, un groupe d'existences et de problèmes étroitement liés et dont il n'avait pas jusqu'alors soupçonné la présence venait de croiser son chemin.

C'était pour lui l'heure du choix. Acceptait-il de se laisser entraîner dans les desseins de quiconque, quelque dignes d'intérêt qu'ils fussent ? Ou ne valait-il pas mieux poursuivre son chemin solitaire au milieu des déformations métaphoriques du monde ?

Peut-être... Et cependant, l'incident l'avait intrigué et offrait un dérivatif apparemment inoffensif à la douleur que lui avait causée la perte de Cathy. (C'est ainsi que l'action permet d'oublier tandis que la contemplation s'avère la forme la plus directe de l'engagement, et par conséquent est honnie par les hommes.)

Marvin suivit les instructions fournies par le billet du mystérieux inconnu. Il acheta un exemplaire du *Diario de Celsus* (édition 4 étoiles), et se procura une rose blanche pour son revers. A neuf heures sonnantes, il pénétra dans la Taverne du Pendu et alla s'asseoir à la table qui se trouvait dans le fond à gauche, près des embrochures jumelles. Son cœur battait la chamade, et ce n'était pas une sensation entièrement désagréable.

25

La Taverne du Pendu était un lieu bruyant et mal famé dont la clientèle était composée en majeure partie de spécimens de basse extraction. Des marchands de poisson ambulants réclamaient à boire à grands coups de poing sur la table tandis que des agitateurs enflammés vitupéraient le gouvernement et se faisaient huer par des forgerons aux biceps massifs. Un thorasorus à six pattes rôtissait dans la vaste cheminée, et un marmiton faisait couler des jus pétillants sur la viande odoriférante. Un violoniste s'était juché sur une table et jouait une gigue qu'il scandait joyeusement de sa jambe de bois. Une fille publique, aux paupières ornées de paillettes et au septum artificiel, pleurait dans un coin avec une affectation outrancière.

Un gandin parfumé se tamponna délicatement le nez d'un mouchoir en dentelle et jeta dédaigneusement la pièce aux lutteurs funambules. Un peu plus loin, sur la gauche, à la table commune, un cireur voulut s'emparer furtivement d'un morceau de collet qui émergeait de la marmite, et se retrouva la main clouée à la table par la dague d'un riisman. Cet exploit fut chaleureusement applaudi par l'assistance.

— Dieu vous garde, Messire. Qu'est-ce que ce sera ?

Marvin leva les yeux et vit une servante aux pommettes rosées et à la poitrine opulente qui attendait sa commande.

— Hydromel, ne vous en déplaise, répondit tranquillement Marvin.

— Tout de suite, Messire, dit la fille. Elle se baissa pour rajuster sa jarretière, et lui murmura : « Soyez vigilant, car en vérité cet endroit ne sied guère à un gentilhomme comme il faut. »

— Merci de l'avertissement, répliqua Marvin sur le même ton. Mais le cas échéant, j'espère avoir tout lieu de croire que mon bras ne serait pas entièrement inefficace.

— Hélas, vous ne connaissez pas les gens qui fréquentent ce lieu, dit-elle, et elle s'éloigna en hâte car un personnage entièrement vêtu de noir s'approchait de la table de Marvin.

— Ça, par les plaies sanglantes du Tout-Puissant, qu'avons-nous là ? s'exclama-t-il d'une voix de stentor.

Un silence pesant tomba sur la taverne. Marvin examina le personnage et reconnut à sa vaste carrure et à son allonge excessive celui qu'on appelait « Denis le Noir ». Il avait la réputation d'un bravache et d'un éventreur et d'un empêcheur de danser en rond.

Marvin affecta d'ignorer la proximité sudoriférante de l'homme. Il se contenta de déplier un petit éventail et de l'agiter délicatement devant son nez.

L'assistance éclata d'un gros rire joyeux. Denis le Noir fit un demi-pas en avant. Les muscles de ses bras se tordirent comme des cobras aux aguets tandis qu'il refermait sa main sur le pommeau de sa rapière.

— Que je sois transformé en topinambour, s'écria-t-il, si cet individu n'est pas un espion du roi !

Marvin le soupçonnait de vouloir faire de la provocation. Il continua donc d'ignorer Denis le Noir et s'appliqua à se polir les ongles avec une petite lime en argent.

— Par les entrailles de mes aïeux ! jura Denis le Noir. Il semble que certains soi-disant gentilshommes ne soient pas du tout gentilshommes puisqu'ils ne répondent même pas quand un autre gentilhomme leur parle. A moins qu'on ne soit sourd, ce dont je vais m'assurer — à loisir, chez moi — en coupant l'oreille gauche que voilà.

— C'est à moi que vous vous adressiez ? demanda Marvin d'une voix anormalement faible.

— A personne d'autre, répondit Denis le Noir. Car j'ai comme l'impression soudaine que votre tête ne me revient pas.

— Vraiment ? balbutia Marvin.

— Ouais ! tonna Denis le Noir. Et je n'aime pas non plus vos manières, ni la puanteur de votre parfum, ni la forme de votre pied ou la courbe de votre bras.

Les pupilles de Marvin se rétrécirent. L'instant était chargé de tension meurtrière, et nul autre bruit que la respiration stertoreuse de Denis le Noir ne se faisait entendre. Puis, avant que Marvin eût le temps de répliquer, quelqu'un accourut aux côtés de Denis le Noir. C'était un bossu qui s'interposait ainsi hardiment, un petit homme au teint blafard et à la grande barbe blanche, qui ne devait pas dépasser un mètre de haut et qui traînait derrière lui un pied bot.

— Allons, Denis le Noir, dit le bossu. Vas-tu répandre le sang le soir de la Saint-Origène ? Est-ce digne d'un gentilhomme ? Voyons, quelle honte !

— Je répandrai le sang si je veux, par le chancre sacré de la Montagne Rouge ! proféra le matamore.

— Vas-y, Denis, étripe-le ! hurla un type maigre au long nez qui clignait d'un œil bleu et louchait d'un œil marron.

— Oui, oui, étripe-le ! reprirent en chœur des douzaines de voix.

— Messieurs, messieurs, je vous en prie ! dit le gros tavernier en se tordant les mains.

— Il ne vous a rien fait ! dit la fille d'auberge, un plateau tremblant à la main.

— Laisse le freluquet tranquille, dit le bossu en s'accrochant à la manche de Denis le Noir et en laissant couler un filet de bave au coin de sa bouche.

— Ote de là tes sales pattes, contrefait ! s'écria Denis le Noir en projetant une main droite qui avait la taille d'un battoir. Elle atteignit le petit bossu en pleine poitrine et le propulsa à travers la salle jusqu'à la grande table où il alla glisser dans un fracas de verre brisé.

— Maintenant, à nous deux, par tous les asticots du paradis ! vociféra la brute en se tournant vers Marvin.

Celui-ci avait toujours son éventail à la main et s'était renversé sur son siège, très calme mais les pupilles légèrement rétrécies. Un observateur attentif aurait pu remarquer le léger frémissement d'anticipation des cuisses, et la flexion à peine perceptible des poignets.

Il daigna enfin s'intéresser au bravache.

— Encore là ? demanda-t-il. Mon ami, votre outrecuidance commence à m'échauffer les oreilles et vos redondances m'importunent.

— Ah oui? hurla Denis le Noir.

— Ah oui, répliqua Marvin avec ironie. La réitération est l'emphase du pauvre d'esprit; cependant, la vôtre ne m'amuse pas. Veuillez donc vous retirer, mon ami, et transporter ailleurs votre grosse carcasse fiévreuse, ou je m'en vais la soulager par une saignée que n'importe quel chirurgien envierait.

Denis le Noir resta bouche bée devant l'audace tranquille de cette insulte. Puis avec une rapidité que démentait sa corpulence, il tira son épée et l'abattit sur la table de chêne avec une telle force qu'elle se fendit en deux et que Marvin aurait été assurément tué sur le coup s'il n'avait fait un brusque bond de côté.

Hurlant de rage, Denis chargea en faisant tournoyer son épée comme un moulin à vent pris de folie. Marvin esquissa un léger pas de danse en arrière, replia son éventail, le glissa dans sa ceinture, retroussa ses manches, se baissa bien bas pour esquiver un nouveau coup, fit un bond en arrière au-dessus d'une table de cèdre et s'empara au vol d'un couteau de cuisine. Puis, soupesant souplement le couteau dans sa main, il s'avança à pas légers au combat.

— Fuyez, Messire! lui cria la fille d'auberge. Il va vous trucider, et vous n'avez qu'un minuscule couteau de cuisine pour vous défendre, et pas bien aiguisé encore!

— Prenez garde, jeune homme! lui dit le bossu en s'abritant derrière une table.

— Sors-lui les tripes! cria un type au long nez et aux yeux vairons.

— Messieurs, messieurs, je vous en prie, dit le tavernier d'un air malheureux.

Les deux combattants s'affrontaient maintenant au milieu de la salle commune et Denis le Noir, le visage tordu par la rage, feinta et porta un coup assez puissant pour démolir un chêne. Avec une sûreté phénoménale,

Marvin alla à la rencontre du coup et le para en quarte avec son couteau, puis riposta aussitôt en quinte. La rapidité de la contre-attaque n'eut d'égale que la foudroyante défense de Denis le Noir qui évita de justesse d'avoir la gorge tranchée.

Lorsque Denis revint en garde, il considéra son adversaire avec un peu plus qu'un début de respect. Puis il poussa un hurlement de fureur homicide et se lança à l'attaque, forçant Marvin à faire retraite à travers la salle enfumée.

— Un double napoléon sur le gros ? s'écria le gandin parfumé.

— Tenu, dit le bossu. Le petit a un beau jeu de pieds, regardez-moi un peu ça.

— Un beau jeu de pieds n'a jamais arrêté une bonne lame, zézaya le gandin. Soutiens-tu ton point de vue avec ta bourse ?

— Que si ! Et j'ajoute cinq louis d'or, dit le bossu en sortant une bourse.

La fièvre des paris gagna le reste de l'assistance :

— Dix roupies sur Denis le Noir ! lança le type aux yeux vairons. Et je prends à trois contre un !

— J'accepte quatre contre un. Et sept contre cinq au premier sang ! renchérit le tavernier toujours prudent en exhibant une poignée de souverains d'or.

— Tenu ! hurla le type aux yeux vairons en posant sur la table trois talents d'argent et un demi-sequin d'or. Et par la Marie Noire, j'offre huit contre six pour une entaille à la poitrine.

— Je tiens ce pari ! cria la fille d'auberge en sortant de son corsage une bourse de thalers Marie-Thérèse. Et je paye comptant six contre cinq à la première amputation !

— J'accepte ! glapit le gandin parfumé. Et par ma caroncule, je parie neuf contre quatre que le petit s'enfuit comme une levrette écorchée avant le troisième sang !

— Je prends ce pari ! dit Marvin avec un sourire amusé. Esquivant l'assaut maladroit de Denis le Noir, il tira de sa ceinture une bourse de florins qu'il lança au gandin. Puis il commença sérieusement à se battre.

Les quelques passes brèves qui venaient d'avoir lieu avaient suffi à démontrer l'adresse de Marvin à manier le fer. Cependant, il avait en face de lui un adversaire redoutable armé d'une épée bien supérieure à son pauvre couteau de cuisine, et animé d'une détermination qui paraissait confiner à la folie.

L'attaque survint tout à coup, et toute l'assistance à l'exception du bossu retint sa respiration tandis que Denis le Noir fonçait comme une réincarnation du dieu Djaggernat. Devant l'impétuosité de cet assaut, Marvin dut céder le terrain. Il recula, sauta par-dessus une table, se trouva acculé dans un coin, fit un énorme bond et s'accrocha au lustre, parcourut toute la longueur de la salle et se laissa retomber souplement sur ses pieds.

Eberlué, et peut-être un peu moins sûr de lui maintenant, Denis le Noir eut recours à une traîtrise. Il lança une chaise à la rencontre de Marvin, et lorsque celui-ci voulut l'esquiver, le géant s'empara d'une écuelle de poivre noir qu'il lui projeta au visage...

Mais le visage de Marvin n'était déjà plus là. Pivotant sur son talon droit, il avait déjoué la tactique perfide. Il feinta bas, refeinta avec ses yeux et exécuta un parfait jeté battu en arrière.

Denis le Noir cilla stupidement, et baissa la tête pour voir le manche du couteau de Marvin qui émergeait de sa poitrine. Ses yeux béèrent de stupéfaction, et la main qui tenait l'épée passa à la riposte.

Marvin tourna sereinement sur ses talons et s'éloigna lentement, laissant son dos sans protection exposé à la lame d'acier étincelante !

Denis le Noir commença à abattre son bras ; mais déjà une fine pellicule grise s'était formée sur ses yeux. Marvin avait évalué la gravité de la blessure avec une extrême précision, car l'épée de Denis le Noir tomba à terre avec

137

un grand fracas, suivie quelques secondes plus tard par la masse pesante du matamore.

Sans regarder en arrière, Marvin traversa la salle et alla se rasseoir à sa table. Il déploya son éventail, et, avec un froncement de sourcils, tira de sa poche un mouchoir en dentelle dont il se tapota le front. Deux ou trois gouttes de transpiration ternissaient sa perfection d'albâtre. Flynn essuya les gouttes, puis jeta le mouchoir.

Un silence absolu régnait dans la salle. Même l'homme aux yeux vairons avait interrompu sa respiration stertoreuse.

C'était peut-être le plus étonnant duel auquel quiconque dans l'assemblée avait jamais assisté. Forts en gueule comme ils étaient, n'ayant ni Dieu ni maître, ils demeuraient tout de même impressionnés.

Quelques instants plus tard, le tumulte se déchaîna. Tout le monde se pressait autour de Marvin, l'acclamant et s'émerveillant de l'adresse dont il avait fait preuve dans le maniement du fer. Les deux lutteurs funambules (des frères, sourds-muets de naissance) émirent de petits cris aigus et firent des pirouettes ; le bossu ricana en comptant ses gains, un filet de bave aux lèvres ; la fille d'auberge contempla Marvin avec un excès d'ardeur embarrassant ; le tavernier servit à contrecœur une tournée générale ; l'homme aux yeux vairons renifla avec son grand nez et parla de chance ; même le gandin parfumé se sentit obligé d'exprimer ses félicitations.

Petit à petit, l'atmosphère de la salle redevint normale. Deux serviteurs à la nuque épaisse tirèrent par les jambes le corps de Denis le Noir, et l'assistance volage lui lança des peaux d'orange. Le rôti fut remis à tourner sur sa broche, et le bruit des cartes et des dés à jouer accompagna de nouveau la musique du violoniste aveugle à la jambe de bois.

Le gandin marcha nonchalamment jusqu'à la table de

138

Marvin et considéra ce dernier de toute sa hauteur, une main sur la hanche et le chapeau à plume dans l'autre.

— Par ma foi, monsieur, dit le gandin, vous savez fort bien manier une lame, et il me semble qu'un tel talent pourrait être employé avec profit au service du Cardinal Macchurchi, qui est toujours à la recherche de gaillards doués et habiles.

— Je ne suis pas à vendre, dit tranquillement Marvin.

— Heureux de vous l'entendre dire, fit le gandin. Mais à ce moment-là, en le regardant de plus près, Marvin s'aperçut qu'il avait une rose blanche à sa boutonnière, et un exemplaire du *Diario de Celsus* (édition 4 étoiles) à la main.

Dans les yeux du gandin brilla une lueur d'avertissement. De sa voix la plus affectée, il ajouta :

— Quoi qu'il en soit, monsieur, encore toutes mes félicitations ; et si quelque divertissement vous tente, je vous prie de venir avec moi dans mes appartements de l'Avenue des Martyrs, où nous pourrons discuter à loisir de quelques points d'escrime et peut-être d'autres sujets d'intérêt mutuel, tout en dégustant un petit vin que je crois fort honorable et qui est couché depuis cent trois ans dans les caves de ma famille.

Marvin reconnaissait maintenant, malgré son déguisement, l'homme qui lui avait précédemment glissé un billet dans la main.

— Monsieur, répondit-il, votre invitation m'honore.

— Pas du tout, monsieur. C'est votre acceptation de mon invitation qui m'honore.

— Pardonnez-moi, monsieur, insista Marvin, qui aurait exploré plus avant cette question d'honneur si le gandin n'avait coupé court en chuchotant :

— Partons sans plus attendre. Denis le Noir n'était qu'un avertissement destiné à nous montrer de quel côté souffle le vent. J'ai bien peur que bientôt la tempête ne se déchaîne.

— Ce serait regrettable, dit Marvin en esquissant un sourire poli.

— Tavernier ! Vous mettrez cela sur mon compte.

— A vos ordres, Messire Gules, répondit le tavernier en s'inclinant bien bas.

Et les deux hommes sortirent ensemble dans la nuit embrumée.

26

Empruntant les venelles tortueuses du centre de la cité, ils passèrent devant les sinistres murailles gris d'acier de la Forteresse du Terc, devant l'horrible Asile de Spodney, où les hurlements des fous se mêlaient étrangement aux grincements de la grande roue hydraulique du Débarcadère de Battlegrave, devant le lugubre et trapu Donjon de la Lune où l'on entendait les prisonniers gémir, puis devant le Grand Rempart avec son alignement macabre de torses transpercés.

Etant des hommes de leur époque, ni Marvin ni Messire Gules ne prêtèrent attention à ces bruits et à ces spectacles. Sans s'émouvoir, ils passèrent à côté de la Mare aux Immondices, où l'ancien régent venait satisfaire ses folles manies nocturnes ; et sans lui accorder un regard, ils dépassèrent le Gambit du Lion où les petits débiteurs et les enfants malfaiteurs étaient enterrés vifs la tête la première dans du ciment à prise rapide pour servir d'exemple à la populace.

C'était une dure époque, certains diront même cruelle. Les mœurs étaient raffinées, mais les passions avaient libre cours. L'étiquette la plus exquise était observée, mais la mort par la torture était le sort commun de beaucoup. C'était l'époque où six femmes sur sept mouraient en couches, où la mortalité infantile atteignait le pourcentage choquant de 87 %, où l'espérance de vie moyenne ne dépassait pas 12,3 ans, où la peste ravageait chaque année la cité, emportant environ les deux tiers de la population, où les guerres de religion continuelles réduisaient de moitié chaque année la population mâle valide — au point que dans certains régiments on était obligé d'employer des aveugles comme officiers d'artillerie.

Et malgré tout cela, on ne pouvait pas dire que c'était une époque malheureuse. En dépit des difficultés, la population atteignait de nouveaux sommets chaque année, et les hommes aspiraient à de nouvelles audaces. Si la vie était incertaine, elle était du moins intéressante. La machine n'avait pas encore ôté à la race son esprit d'initiative, et bien qu'il existât de choquantes différences de classes et que le privilège féodal fût la règle suprême, uniquement tempérée par la douteuse puissance du roi et la funeste présence du clergé, c'était une période que l'on pouvait peut-être qualifier de démocratique dans la mesure où chaque individu avait sa chance.

Cependant, ni Marvin ni Messire Gules ne pensaient à tout cela tandis qu'ils s'approchaient d'une vieille maison à pignon et aux volets fermés devant le porche de laquelle une paire de chevaux étaient à l'attache. L'entreprise individuelle ne nourrissait guère leurs pensées, bien qu'ils y fussent engagés, et la mort n'était guère pour eux un sujet de préoccupation, bien qu'elle les environnât constamment. L'époque où ils vivaient n'était pas propice à la méditation sur soi-même.

— Eh bien, dit Messire Gules en guidant son hôte devant des serviteurs silencieux sur des tapis feutrés jusqu'à une grande pièce lambrissée où un feu pétillait et craquait joyeusement dans une vaste cheminée d'onyx.

Marvin ne disait rien. Son œil enregistrait les plus petits détails de la pièce. L'armoire sculptée devait dater du xe siècle, et le portrait accroché au mur et à moitié caché par son cadre doré était un Moussault authentique.

— Prenez un siège, je vous prie, dit Messire Gules en se laissant tomber avec grâce dans un canapé David Ogilvy tapissé du brocart afghan à la mode de cette année-là.

— Merci, fit Marvin en s'asseyant sur un Jean IV à huit pieds aux poignées de bois de rose et au dossier de cœur de palmier.

— Un verre de vin ? demanda Messire Gules en soulevant avec déférence le carafon de bronze aux ciselures d'or gravées par Dagobert de Hoyys.

— Pas pour l'instant, merci, répondit Marvin en chassant d'une chiquenaude un grain de poussière qui s'était logé sur sa cape à brandebourgs confectionnée sur mesure par Geoffroy de la Ligne.

— Peut-être une pincée de tabac à priser ? s'enquit Messire Gules en lui présentant une petite tabatière en platine fabriquée par Durr de Snedum et sur laquelle était gravée à la pointe d'acier une scène de chasse dans la Forêt de Lesh.

— Plus tard, si vous voulez, dit Marvin en louchant sur les passements d'argent à boucle double de ses escarpins de danse.

— La raison pour laquelle je vous ai fait venir ici, commença abruptement son hôte, est que je désire vous demander votre aide pour une cause noble et juste dont vous n'êtes pas, je suppose, entièrement ignorant. Il s'agit du Sieur Lamprey Height d'Augustin, mieux connu sous le nom de L'Illuminé.

— D'Augustin ! s'exclama Marvin. Mais je l'ai connu quand je n'étais encore qu'un gosse, en 72 ou 73, l'année de la Peste Mouchetée ! Il venait toujours nous rendre visite dans notre chalet ! Je me souviens encore des pommes fourrées qu'il nous apportait !

— Je savais que son nom vous dirait quelque chose, fit Gules d'une voix tranquille. Aucun de nous ne l'a oublié.

— Et comment va ce noble et grand vieillard ?

— Assez bien — nous l'espérons du moins.

Aussitôt, Marvin fut en alerte :

— Que voulez-vous dire ?

— L'année dernière, d'Augustin travaillait dans sa retraite campagnarde de Duvannemor, qui se trouve juste derrière Moueur d'Alençon, au pied du Mont Sangrela.

— Je connais l'endroit, dit Marvin.

— Il mettait la dernière main à son chef-d'œuvre, *L'Ethique de l'Indécision,* auquel depuis ces vingt dernières années il consacre le meilleur de lui-même, lorsque soudain un groupe d'hommes en armes fit irruption dans la Salle des Runes où il travaillait, après avoir réduit à l'impuissance ses domestiques et soudoyé ses gardes du corps personnels. Personne d'autre n'était présent à l'exception de sa fille, incapable d'intervenir. Ces infâmes soudards s'emparèrent du noble vieillard et, après l'avoir ligoté et avoir brûlé tous les exemplaires de son manuscrit, l'emmenèrent avec eux.

— Les monstres ! s'exclama Marvin.

— Quant à sa fille, l'atrocité de cette scène fit qu'elle perdit connaissance et demeura plongée dans un état de stupeur si avancé qu'il ressemblait à la mort. C'est à cette circonstance fortuite qu'elle dut d'avoir la vie sauve.

— Révoltant ! commenta Marvin. Mais qui donc aurait intérêt à user de violence sur la personne d'un inoffensif philosophe que d'aucuns s'accordent à reconnaître comme le plus éminent penseur de notre siècle ?

— Inoffensif, dites-vous ? demanda Messire Gules, dont les lèvres esquissèrent un sourire sarcastique. Avez-vous lu l'œuvre de D'Augustin pour parler ainsi ?

— Je n'ai pas eu ce plaisir, dit Marvin. Ma vie, en vérité, ne m'a laissé que peu de loisir pour ces choses-là, car j'ai voyagé continuellement depuis quelque temps. Il ne me semble pas cependant que les écrits d'un homme si noble et si estimé puissent...

— Vous me permettrez de n'être pas de cet avis,

l'interrompit Messire Gules. Ce vieillard si digne et si respectable dont nous sommes en train de parler a été conduit, par un irréversible processus de Logique Inductive, à émettre certaines doctrines qui, si elles étaient connues du grand public, pourraient déchaîner des révolutions sanglantes.

— C'est une cause qui me semble difficilement soutenable, répliqua froidement Marvin. Voulez-vous m'entraîner dans la sédition ?

— N'ayez crainte, n'ayez crainte ! Ces doctrines que professe d'Augustin ne sont pas dangereuses par elles-mêmes, mais par leurs conséquences. C'est-à-dire qu'elles assument le timbre de la Facticité Morale, et ne sont pas plus séditieuses à proprement parler que ne le sont les phases de la lune.

— Euh... donnez-moi un exemple, demanda Marvin.

— D'Augustin proclame que les hommes naissent libres, murmura doucement Gules.

Marvin réfléchit quelques instants.

— Une idée moderne, déclara-t-il enfin, mais qui n'est pas totalement dépourvue d'attrait. Donnez-m'en un autre.

— Il déclare qu'une conduite honnête est méritoire et agréable à Dieu.

— Une étrange façon de voir les choses, décida Marvin. Et cependant... hmmm.

— Il soutient aussi qu'une vie non examinée ne vaut pas la peine d'être vécue.

— Un point de vue bien radical, fit Marvin. Et il est aisé d'imaginer quelles pourraient être les conséquences si de telles déclarations venaient à tomber entre les mains de la populace. L'autorité du roi et de l'Eglise serait inévitablement sapée... Et cependant...

— Oui ? demanda doucement Messire Gules.

— Cependant, poursuivit Marvin en contemplant rêveusement le plafond de terre cuite avec ses motifs de palladiums entrelacés, cependant un ordre nouveau ne pourrait-il surgir du chaos qui s'ensuivrait forcément ? Un monde nouveau ne pourrait-il pas naître, où les outrecuidances de la noblesse seraient modérées et rectifiées par la notion de valeur personnelle, et où les menaces bruyantes d'une Eglise devenue vile et politisée seraient tempérées par des relations entre l'homme et son Dieu établies sur des bases nouvelles sans la médiation du prêtre cauteleux ou du moine voleur ?

— Croyez-vous réellement que cela soit possible ? demanda Messire Gules d'une voix qui avait la douceur du velours glissant sur de la soie.

— Oui, dit Marvin. Oui, par les aphtes de Dieu, je le crois ! Et je vous aiderai à sauver d'Augustin et à propager cette étrange et révolutionnaire doctrine nouvelle !

— Merci, dit simplement Messire Gules. Et il fit un geste de la main.

Une silhouette sortit de derrière le fauteuil de Marvin. C'était le bossu. Marvin saisit l'éclat mortel de l'acier tandis que l'horrible créature rengainait son poignard.

— Sans vouloir vous offenser, déclara Gules d'une voix grave. Nous ne doutions pas de vous, naturellement, mais si nos projets n'avaient pas eu l'heur de vous plaire il nous aurait appartenu de dissimuler notre mauvais jugement dans une tombe anonyme.

— Cette précaution vous honore, dit sèchement Marvin. Mais je ne goûte point le piquant de la situation.

— Tel est notre sort commun ici-bas, philosopha le bossu. Les Grecs ne préféraient-ils pas mourir par la main d'un ami plutôt que de languir sous les griffes d'un ennemi ? Nos rôles sont choisis par un Destin cruel et tout-puissant, et plus d'un qui croyait jouer les Empereurs sur la Scène de la Vie s'est trouvé dans la peau d'un cadavre au moment de la répartition des personnages.

— Monsieur, lui dit Marvin, vous m'avez l'air d'un homme qui a eu lui-même quelques problèmes de distribution.

— Si l'on veut, répliqua froidement le bossu. Je

n'aurais pas de mon plein gré choisi ce rôle humiliant si les circonstances ne l'avaient exigé.

Et en disant ces mots, le bossu se baissa et détacha ses jambes qui avaient été liées à ses cuisses, puis il se redressa de toute sa hauteur de un mètre quatre-vingts. Il ôta la bosse attachée à son dos, essuya la graisse et la bave de son visage, se recoiffa, détacha sa barbe et son pied bot et se tourna vers Marvin avec un sourire sarcastique aux lèvres.

Marvin dévisagea le personnage entièrement différent qu'il avait sous les yeux, puis s'exclama :

— Milord Inglenook bar na Idrisi-san, Premier Lord de l'Amirauté, Familier du Premier Ministre, Conseiller Extraordinaire du Roi, Gourdin de l'Eglise Rampante et Invocateur du Grand Concile !

— Je suis cette même personne, répondit Inglenook. Et je joue les bossus pour des considérations principalement politiques. Car si ma présence ici était seulement soupçonnée par mon rival, Lord Blackamoor de Mordevund, nous serions tous des hommes morts avant que les grenouilles de l'Etang Royal aient eu le temps de saluer de leurs coassements les premiers rayons de Phébus.

— Le lierre de cette conspiration croît sur de hautes tours, commenta Marvin. Je mets mon bras à votre service, Milord, si Dieu me prête force et si quelque matamore de taverne ne me plante pas six pouces d'acier dans le ventre.

— Si vous faites allusion à l'incident de Denis le Noir, dit Messire Gules, je puis vous assurer que tout était réglé à l'avance pour le bénéfice d'un éventuel espion que Lord Blackamoor aurait pu mettre à nos trousses. En réalité, Denis le Noir était l'un d'entre nous.

— Merveille des merveilles ! déclara Marvin. Cette pieuvre, semble-t-il, possède de nombreux tentacules. Mais messieurs, permettez-moi de me demander pourquoi, alors qu'il y a tant de gentilshommes puissants dans ce royaume, vous avez choisi quelqu'un qui ne se glorifie d'aucun privilège particulier, ni fortune ni position ni rien d'autre que le titre d'honnête homme devant Dieu et maître de son propre honneur, et porteur d'un nom vieux de dix siècles.

— Votre modestie est hardie! s'exclama en riant Lord Inglenook. Car nul n'ignore que votre adresse dans l'art de manier l'épée n'est surpassée par personne, à l'exception peut-être du traître Blackamoor.

— Je ne suis qu'un humble étudiant dans le domaine de l'escrime, répondit négligemment Marvin. Cependant, si mon modeste don peut vous servir, qu'il en soit ainsi. Et maintenant, messieurs, qu'attendez-vous de moi?

— Notre plan, commença lentement Lord Inglenook, a la vertu de l'audace extrême, et le défaut d'un immense danger. Un seul coup de dés nous permet de tout ramasser, ou nous fait laisser nos vies sur le tapis. Un enjeu fort grave! Et cependant, je n'ai pas l'impression que vous n'aimez pas ce genre de danger.

Marvin sourit tout en prenant le temps de construire la phrase, puis répliqua:

— Les parties les plus courtes sont les plus passionnantes.

— Parfait! murmura Gules en se levant. Nous devons nous rendre à présent à Castelgatt, dans la Vallée de la Romaine. Chemin faisant, nous vous mettrons au courant des détails de notre plan.

C'est ainsi qu'enveloppés dans leur cape, les trois hommes quittèrent la maison à pignon par un escalier dérobé et franchirent la poterne du vieux rempart occidental. Là, une voiture attelée de quatre chevaux les attendait, avec deux gardes en armes juchés sur le marchepied.

Marvin se prépara à monter dans le carrosse, et vit qu'il y avait déjà quelqu'un à l'intérieur. C'était une femme. En s'approchant plus près, il vit...

— Cathy! s'écria-t-il.

Elle le regarda d'un air incompréhensif, et répondit d'une voix froide et impérieuse:

— Monsieur, je m'appelle Catarina d'Augustin, et je ne connais pas votre visage. Je n'aime pas non plus votre style de familiarité présumée.

Il n'y avait pas la moindre lueur de reconnaissance dans ses beaux yeux gris, et ce n'était pas non plus le moment de poser des questions. Car à l'instant même où Messire Gules faisait des présentations rapides, un cri se fit entendre derrière eux :

— Eh, vous, du carrosse ! Halte, au nom du Roi !

En se retournant, Marvin aperçut un capitaine des dragons qui galopait vers eux suivi de dix hommes à cheval.

— Trahison ! s'écria Inglenook. Vite, cocher, fuyons !

Avec un claquement de traits et de harnais tendus, l'attelage de quatre étalons appariés s'élança dans l'étroit chemin en direction des Neuf-Bornes et de la Grand-Route du Littoral.

— Peuvent-ils nous rejoindre ? demanda Marvin.

— Peut-être, dit Inglenook. Ils me semblent diablement bien montés, par le derrière de Belzébuth ! Mille pardons, madame...

Pendant quelques instants, Inglenook regarda les cavaliers lancés à leur poursuite à moins de vingt mètres derrière, leurs sabres scintillant à la lumière cahotante de la lanterne. Puis il haussa les épaules et se détendit.

— Permettez-moi de vous demander, fit-il en se tournant vers Marvin, si vous êtes au courant des derniers développements politiques survenus ici et ailleurs dans le Vieil Empire. Il est souhaitable que vous soyez informé pour comprendre la nécessité de la forme particulière d'action que nous envisageons.

— J'ai bien peur, répondit Marvin, que mes connaissances en matière de politique ne soient tout à fait inadéquates.

— Dans ce cas, je vais m'efforcer de vous éclairer en dressant un tableau succinct de la situation.

Marvin se laissa aller en arrière sur les coussins, bercé

par les cahots du véhicule et le martèlement des sabots des chevaux. Cathy, assise en face de lui à sa droite, contemplait froidement les glands en mouvement du chapeau de Messire Gules. Et Lord Inglenook commença son récit...

27

— Lorsque le vieux roi mourut il y a un peu moins de dix ans, au plein moment de la montée de l'hérésie suessienne, il laissa le trône de Mulvavie sans successeur évident. Ainsi les passions d'un continent troublé arrivèrent à leur funeste point d'ébullition.

Trois prétendants s'affrontèrent pour monter sur le Trône Phalène. Le Prince Moroway de Thème était celui qui détenait le Privilège Manifeste, qui lui avait été octroyé par un Conseil des Eligibles soudoyé mais pas moins officiel pour autant. Et si ce n'était pas suffisant, il se réclamait également de la doctrine de l'Empléatude Royale en tant que second fils illégitime (et seul survivant) du Baron Norway, le demi-cousin de la sœur du vieux roi par alliance avec les puissants Mortjoy de Danat.

En des temps moins troublés, ces titres auraient pu suffire. Mais pour un continent qui se trouvait au bord de la guerre civile et de la guerre de religion, la revendication comme le prétendant présentaient des lacunes.

Le prince de Moroway n'était âgé que de huit ans, et jamais on ne l'avait entendu prononcer une parole. D'après le portrait qu'en fit Mouvey, il avait une tête monstrueusement enflée ainsi que la mâchoire pendante et le regard vague de l'idiot hydrocéphale. Son seul plaisir connu était la collection de vers de terre (la plus belle du continent).

Sa principale opposition à la succession était Gottlieb Hosstratter, Duc de Méla et Accomodateur Ordinaire des Terres Marginales de l'Empire, dont la lignée douteuse s'appuyait sur la Hiérarchie suessienne schismatique, et plus particulièrement sur un Hiérarque de Dodessa déjà affaibli.

Un troisième prétendant, Romrugo du Vars, aurait été écarté rapidement si son point de vue n'avait été soutenu par une force de cinquante mille soldats endurcis recrutés dans la principauté méridionale de Vask. Jeune et vigoureux, Romrugo jouissait d'une réputation d'excentricité. Son mariage avec sa jument favorite Orsilla avait été condamné par le clergé orthodoxe owensien, dont il était le champion involontaire. Il n'avait pas non plus la faveur des bourgeois de Gint-Loseine, dont il avait fait enterrer la fière cité sous sept mètres de terre « en guise de présent aux archéologues futurs ». Néanmoins, ses prétentions au trône de Mulvavie eussent été promptement légitimées s'il avait possédé le moyen de payer ses soudards.

Car malheureusement pour lui Romrugo n'avait pas de fortune personnelle (elle avait été dilapidée dans l'achat de parchemins léthertéens). Il fut donc obligé, pour réunir l'argent nécessaire à entretenir son armée, de proposer une alliance à la riche mais peu influente Ville Libre de Tihurrue, qui commandait le détroit de Sidue.

Cette initiative irréfléchie provoqua la colère du Duché de Puls, dont la frontière occidentale protégeait depuis des temps immémoriaux le flanc exposé du Vieil Empire contre les déprédations païennes des Monogoths. Le jeune et résolu grand-duc de Puls joignit immédiatement ses forces à celles du schismatique Hosstratter — sans aucun doute l'alliance la plus étrange que le continent eût jamais vue —, constituant ainsi une menace directe pour le Prince Moroway et pour les Mortjoy de Danat qui le soutenaient. Ainsi, se trouvant contre toute attente encerclé de trois côtés par les Suessiens ou leurs alliés et du quatrième par les dangereux Monogoths, Romrugo se mit désespérément en quête d'une nouvelle alliance.

Il devait la trouver dans la personne énigmatique du Lord Baron Darkmouth, Prépossesseur de l'Ile de Turplend. Le ténébreux Baron prit aussitôt la mer avec une flotte de combat de vingt-cinq galions, et toute la Mulvavie retint son souffle lorsque la sinistre flottille doubla le cap de Dorter pour déboucher dans la mer d'Escher.

L'équilibre des forces aurait-il pu être préservé, même à ce stade avancé ? Peut-être, si Moroway avait respecté ses promesses à l'égard des Cités des Marches. Ou si le vieux Hiérarque de Dodessa, comprenant enfin la nécessité d'un accommodement avec Hosstratter, n'avait pas choisi ce moment inapproprié pour mourir, laissant ainsi le pouvoir à l'épileptique Murvey de Hunfutmouth. Ou si Ericmouth la Main Rouge, chef des Monogoths de l'Ouest, n'avait profité des circonstances pour bannir Propera, la sœur du sinistre Archiduc de la maison de Puls, plus connu sous le nom de « Marteau contre les Hérétiques » (par quoi il entendait tous ceux qui ne souscrivaient pas à son propre delongianisme étroitement orthodoxe).

Mais la main du Destin intervint alors pour modifier ce qui semblait inévitable ; car les galions du Baron Darkmouth furent pris dans la Terrible Tempête de 73 et forcés de chercher refuge à Tihurrue, qu'ils mirent à sac, anéantissant ainsi l'alliance de Romrugo avant qu'elle eût pu prendre forme, et provoquant la révolte des Vaskiens de son armée qui, mécontents de n'avoir pas touché leur solde, désertèrent en masse et se rallièrent à Hosstratter dont les terres étaient les plus proches de leur ligne de marche.

C'est ainsi qu'Hosstratter, troisième candidat au trône royal qui s'était résigné à la défaite, se retrouva au premier rang des prétendants ; et Moroway, dont l'étoile avait brillé haut un moment, s'aperçut à ses propres dépens que

151

les Montagnes Echilides n'étaient pas une protection lorsque les passages de l'est étaient tenus par un adversaire décidé.

Le plus affecté par tous ces événements était naturellement Romrugo. Sa position était fort peu enviable : déserté par ses troupes, abandonné par son allié le Baron Darkmouth (qui avait fort à faire à essayer de protéger Tihurrue contre les attaques répétées des pirates de la côte de Rull), et menacé jusque dans son fief du Vars par le bras puissant et mortel de la conspiration des Mortjoy, il avait en plus tout à craindre des sournoises Cités des Marches qui commençaient à jeter sur son territoire des regards concupiscents. Et pour comble de mauvaise fortune, c'est précisément ce moment-là que choisit sa jument Orsilla pour l'abandonner.

Et pourtant, même au creux de l'adversité, le confiant Romrugo ne désespérait pas. La désertion de sa jument fut accueillie avec des cris de joie par le timoré clergé owensien, qui accorda à son champion malgré lui le Divorce Absolu pour apprendre plus tard à son grand dam que le cynique Romrugo comptait utiliser sa liberté nouvellement acquise pour épouser en secondes noces la dame Propéia, et s'attirer ainsi les bonnes grâces de l'Archiduc de Puls reconnaissant...

Tels étaient les facteurs qui excitaient les passions des hommes en cette année fatidique. Le continent était au bord de la catastrophe. Les paysans enterraient leurs récoltes et aiguisaient leurs faux. Les armées étaient sur le pied de guerre, prêtes à marcher dans n'importe quelle direction. La masse turbulente des Monogoths de l'Ouest, pressée sur ses arrières par la masse encore plus turbulente des cannibales Allahut, était prête à déferler sur les frontières du Vieil Empire.

Darkmouth s'efforçait de réorganiser ses galions, et Hostratter entraînait ses mercenaires vaskiens à une forme de guerre nouvelle. Romrugo scella sa nouvelle alliance avec Puls, signa un pacte de non-agression avec Ericmouth et prit en considération la nouvelle rivalité qui opposait Mortjoy à l'épileptique mais non moins dangereux Murvey. Quant à Moroway de Thème, allié malgré lui des pirates de Rull, champion involontaire de l'hérésie suessienne et complice sans le savoir d'Ericmouth la Main Rouge, il tournait ses regards vers les versants menaçants des Montagnes Echilides et attendait tremblant.

C'est ce moment de tension suprême et universelle que choisit sans le vouloir Milord d'Augustin pour annoncer l'achèvement imminent de son œuvre philosophique...

La voix d'Inglenook s'éteignit lentement, et pendant un instant on n'entendit plus que le claquement régulier des sabots des chevaux. Puis Marvin déclara doucement :

— Je comprends, maintenant.

— Je n'en attendais pas moins de vous, s'écria chaleureusement Inglenook. A la lueur de tout cela, vous comprenez pourquoi notre plan est de nous assembler à Castelgatt et de frapper sans plus attendre.

Marvin hocha la tête :

— Etant donné les circonstances, c'est la seule façon d'agir.

— Mais d'abord, dit Inglenook, nous devons nous débarrasser de ces dragons qui nous poursuivent.

— Quant à cela, dit Marvin, faites-moi confiance, j'ai mon plan...

28

Grâce à un rusé stratagème, Marvin et ses compagnons purent échapper aux dragons et arriver sains et saufs à Castelgatt. Là, sur le coup de la douzième heure, les conspirateurs devaient se réunir, prendre leurs dispositions finales et quitter le château avant l'aube pour mettre leur plan à exécution et tenter d'arracher d'Augustin aux griffes du sinistre Blackamoor.

Marvin se retira dans ses appartements de l'aile orientale, et là choqua son page en insistant pour avoir une bassine d'eau afin de se laver les mains. La chose était considérée comme une étrange affectation de sa part à une époque où même les plus grandes dames de la cour étaient habituées à cacher des couches de saleté sous des bandeaux de gaze parfumée. Mais Marvin avait contracté cette manie au cours de son séjour chez les païens Tescos, sur la rive méridionale du Rémouève, dont les fontaines de mousse et les sculptures spongieuses faisaient l'admiration de la suffisante et crasseuse aristocratie nordique. Malgré la risée de ses pairs et l'attitude soupçonneuse du clergé, Marvin s'obstinait à penser qu'un lavage de mains occasionnel ne pouvait faire de mal, pourvu que l'eau ne touchât aucune autre partie du corps.

Ses ablutions une fois terminées, vêtu uniquement de demi-chausses de satin noir, d'une chemise de dentelle blanche, de bottes de cavalerie et de passe-coudes de chamois d'Eretzie, portant uniquement son épée Coeuer de Stabbat qui était transmise de père en fils dans sa famille depuis cinq cents ans, Marvin entendit derrière lui un léger bruit suspect et fit volte-face, main au pommeau.

— Eh, quoi, monsieur, voudriez-vous me pourfendre de cette terrible épée ? railla Lady Catarina — car c'était elle —, debout devant l'encadrement lambrissé de la porte de sa chambre.

— En vérité, madame, vous m'avez surpris. Quant à vous pourfendre, je le ferais avec un grand plaisir, non point avec cette épée mais à l'aide d'un outil beaucoup plus adéquat que je me trouve posséder.

— Fi, monsieur, répondit Lady Catarina avec ironie. Faire violence à une dame ?

— Uniquement celle du plaisir, repartit galamment Marvin.

154

— Vous avez la langue bien agile, dit-elle. Et nul n'ignore que souvent les langues les plus longues et les mieux pendues cachent les plus courts Outils.

— C'est me faire injustice, madame. J'ose croire que l'Outil dont je me glorifie est très bien adapté aux différentes tâches auxquelles il se destine, assez acéré pour transpercer les meilleures défenses et suffisamment durable pour porter des coups répétés. Sans compter qu'à côté de ces emplois utilitaires, il connaît grâce à moi certaines bottes secrètes que je me ferais un plaisir de vous enseigner.

— Non, non, conservez cet outil dans sa boîte, dit Lady Catarina avec un regard indigné mais non moins pétillant de défi. Il faut bien se garder de se fier aux apparences. Ce qui parfois ressemble à l'acier orgueilleux n'est que fer-blanc pliable, flatteur au regard mais déplorablement malléable au toucher.

— Il ne tient guère qu'à vous d'en éprouver la dureté en le soumettant à l'usage.

Elle secoua sa jolie tête :

— Sachez, monsieur, dit-elle, que ces procédés pragmatiques sont bons pour les philosophes barbus et les vieillards chassieux. Une femme s'en remet à son intuition.

— Madame, je vénère votre intuition.

— Que croyez-vous savoir, ô possesseur douteux d'un objet de longueur indéterminée et de trempe incertaine, de l'intuition d'une femme ?

— Madame, mon cœur me dit qu'elle est exquise et ineffable, et qu'elle possède une forme plaisante et un parfum délicat, et...

— Suffit, monsieur ! s'écria Lady Catarina en rougissant fortement et en s'éventant furieusement avec un éventail japonais dont la face ondulée représentait l'Investiture du Iichi.

Ils restèrent un instant silencieux après ces quelques passes oratoires empruntées au langage désuet de l'Amour

Courtois, où l'apostrophe symbolique jouait un si grand rôle. En ces temps bienheureux, l'étiquette permettait, même aux jeunes filles éduquées de la plus haute société, de converser ainsi. C'était une époque qui n'avait pas froid aux yeux.

Mais une ombre venait de tomber sur les deux participants. Marvin était morose, et tripotait les boutons d'acier gris de sa chemise de dentelle blanche. Lady Catarina paraissait troublée. Elle portait une robe à panneaux couleur tulipe colombine avec des crevés incarnats. Comme c'était la coutume, le décolleté descendait assez bas pour révéler la courbe ferme et rose de son petit abdomen. Elle avait aux pieds des escarpins-pantoufles de damas ivoirin. Et sa chevelure nouée haut sur une ratouelle de jade était ornée d'une guirlande de saxifrages. Jamais au cours de son existence Marvin n'avait contemplé spectacle si adorable.

— Ne pourrions-nous cesser ces futiles jeux d'esprit, demanda-t-il tranquillement, et laisser parler notre cœur avec une candeur moins cruelle ?

— Je n'ose ! murmura Lady Catarina.

— Et cependant, vous êtes bien Cathy. En d'autres temps, sous d'autres cieux, vous m'aimâtes.

— Il ne faut point parler de ce qui fut et qui ne peut plus être.

— Et pourtant vous m'aimâtes ! s'écria Marvin. Dites-moi le contraire, si ce n'est pas vrai.

— Oui, murmura Lady Catarina d'une voix tremblante. Oui, je vous ai aimé.

— Et maintenant ?

— Hélas !

— Mais parlez ! Dites-moi la raison !

— Je ne puis.

— Vous ne voulez pas.

— Je n'en ai pas le choix.

— Le choix est l'esclave du cœur.

— Détrompez-vous, dit-elle doucement.

— Vraiment ? Alors, assurément, le désir est père de l'intention, répliqua Marvin dont le visage s'était cruellement durci. Et puisque nous sommes dans les liens de parenté, le plus sage des hommes ne nierait point que l'Amour a pour demi-sœur l'Indifférence, et que la Fidélité vit sous le joug de sa cruelle marâtre, la Douleur.

— Etes-vous obligé de me traiter ainsi ? s'écria-t-elle d'une voix défaillante.

— Madame, vous ne me laissez pas le choix, répondit Marvin d'un ton d'airain. Voyez comme le trois-mâts de ma passion dérive sur l'océan du souvenir, poussé par le vent frivole de l'indifférence et drossé vers les récifs mortels de la Côte de la Douleur par l'inexorable Courant de la Destinée Humaine.

— Hélas, je n'aurais point voulu qu'il en fût ainsi, gémit Lady Catarina, et Marvin se sentit parcouru d'un frisson en entendant le faible aveu d'un amour qu'il croyait à tout jamais perdu.

— Cathy...

— Non, nous ne pouvons pas, s'écria-t-elle, en proie à une souffrance évidente, tandis que son abdomen frémissait au rythme de son émotion intérieure. Vous ignorez dans quelles infortunées circonstances je me trouve.

— Je veux le savoir ! exigea Marvin. Puis il pivota, portant la main à son épée, vers la grande porte de chêne qui venait de s'ouvrir silencieusement. Là, négligemment appuyé contre le chambranle, les bras croisés sur la poitrine, était un homme au sourire figé sur des lèvres minces entourées d'une barbe touffue.

— Ciel ! Nous sommes perdus ! s'écria Lady Catarina en pressant une main contre son abdomen tremblant.

— Monsieur, que signifie ? demanda Marvin courroucé. J'exige une explication pour cette intrusion malséante et contraire à la courtoisie.

— Vous l'aurez sur-le-champ, dit l'homme appuyé au chambranle dont la voix révélait un léger zézaiement menaçant. Je suis, monsieur, Lord Blackamoor, contre qui vous avez ourdi un complot puéril ; et si je suis ici, c'est par le simple et légitime droit de celui qui désire être présenté au jeune ami de son épouse.

— Son épouse ? fit Marvin tel un écho.

— Cette dame, poursuivit Blackamoor, qui a la fâcheuse habitude de ne pas se présenter elle-même, est la Très Noble Catarina d'Augustin di Blackamoor, épouse fidèle et dévouée de votre humble serviteur.

Et en disant cela, Blackamoor ôta son chapeau et salua bien bas, puis reprit sa posture contre le chambranle.

Marvin lut la confirmation de ce que venait de dire Blackamoor dans les yeux humectés de larmes et l'abdomen pantelant de Cathy. Sa Cathy bien-aimée, l'épouse de Blackamoor, ennemi juré de ceux qui défendaient la cause de d'Augustin, qui était le propre père de Cathy !

Mais ce n'était guère le moment d'examiner ces étranges imbrications d'affection. Car le principal sujet de préoccupation était Blackamoor lui-même, miraculeusement en liberté dans un château tenu par ses plus mortels ennemis, et qui plus est ne trahissant aucun signe de nervosité dans une situation qu'il eût dû considérer comme extrêmement périlleuse.

Cette assurance devait signifier que la situation n'était pas exactement ce que supposait Marvin, et que les fils du destin étaient enchevêtrés d'une manière qui dépassait sa compréhension immédiate.

Blackamoor à Castelgatt ? Plus il réfléchissait et plus il éprouvait une sensation d'inconfort glacé, comme si l'ange de la mort venait de l'effleurer de ses ailes stygiennes.

Le meurtre était tapi dans l'ombre de cette chambre — mais pour qui ? Il redoutait le pire. Pourtant, ce fut avec le plus grand calme qu'il tourna son visage figé en un masque d'obsidienne vers son ennemi qui était en même temps le mari de sa bien-aimée et le ravisseur du père de celle-ci.

29

Milord Lamprey di Blackamoor ne disait mot. D'une stature légèrement supérieure à la moyenne, il possédait des traits d'une extrême émaciation soulignés par une barbe dense, des favoris épais et des cheveux d'un noir de jais qui retombaient sur son front en tortillons rigides. Son apparence de maigreur était démentie par la largeur de ses épaules et son bras puissant de bretteur que l'on apercevait sous sa cape. Son visage était d'une harmonie glacée rompue seulement par une balafre qui courait à la lisière de sa barbe de sa tempe droite à la commissure gauche de ses lèvres et qu'il avait peinte en rouge par manière de défi. Ce qui donnait à ses traits sarcastiques une apparence à la fois sinistre et absurde.

— Il me semble, dit enfin Blackamoor d'une voix traînante, que nous avons joué cette comédie assez longtemps. Le dénouement approche.

— Milord a déjà préparé son troisième acte ? demanda Marvin sans se troubler.

— Les acteurs ont appris leur rôle, dit Blackamoor. Négligemment, il fit claquer ses doigts.

Entrèrent Milord Inglenook et Messire Gules, suivis d'une escorte de soldats thuringiens à la mine patibulaire, vêtus de demi-cottes de peau et le braquemart au côté.

— Quel est ce détestable traquenard ? s'écria Marvin.

— Explique-lui... mon frère, persifla Blackamoor.

— C'est la vérité, dit Lord Inglenook, dont le visage avait pris la couleur de la cendre. Blackamoor et moi sommes des demi-frères, et notre mère commune était la Marquesita Roseata de Timon, fille de l'Electeur de Brandeis et belle-sœur de Silverblain la Longue Epée, qui était le père d'Ericmouth l'Epée Rouge, et dont le premier mari, Marquelle de la Marche, était mon père, et après le décès de qui elle épousa Huntford, Bâtard Royal de Clève et Prétendant à la Réserve éléactique.

— Son sens de l'honneur suranné l'a rendu sensible à mes plans et ductile à mes suggestions, ironisa Blackamoor.

— Etrange retour des choses, murmura Marvin, où l'honneur d'un homme le déshonore.

Inglenook baissa la tête sans rien dire.

— Quant à vous, Milady, poursuivit Marvin en se tournant vers Cathy, j'avoue que la raison pour laquelle vous avez choisi d'épouser le ravisseur de votre père dépasse ma compréhension.

— Hélas ! répondit Cathy, c'est une histoire indigne car je fus courtisée par la menace et l'indifférence et séduite par les noirs et irrésistibles pouvoirs que cet homme possède, et qui plus est par l'emploi de drogues infâmes assorties de paroles traîtresses et de sournois mouvements de la main qui amenèrent mes sens à un état de passion factice où le contact de son corps détesté et de ses lèvres abhorrées m'était un véritable baume. Privée du réconfort de l'Eglise, et donc incapable de distinguer le vrai du démoniaque, je succombai je l'avoue. Et je ne prétends mériter aucune indulgence.

Marvin se tourna vers celui qui était son dernier espoir :

— Messire Gules ! s'écria-t-il. Rien n'est encore perdu. Dégainez votre épée et nous nous forcerons un chemin vers la liberté.

Blackamoor éclata de rire :

— Qu'il dégaine ? Peut-être. Mais au plus pour peler une orange !

Marvin regarda son ami, et vit inscrite sur son visage une honte plus mordante que l'acier et plus mortelle que le poison.

— Je ne puis vous aider, murmura-t-il d'une voix qui

s'efforçait de ne pas trembler. Pourtant, mon cœur se brise en contemplant votre tourment.

— Quel prodige de sorcellerie Blackamoor a-t-il utilisé sur vous ? demanda Marvin.

— Hélas, mon bon ami, son odieux stratagème fut d'une logique irréfutable, et exécuté avec une adresse qui fait ressembler les machinations les plus finement ourdies à de simples amusements d'enfants en bas âge... Saviez-vous que je suis un membre de la société secrète connue sous le nom des Chevaliers Noirs de la Sainte Absolution ?

— Je l'ignorais en vérité, dit Marvin. Mais je croyais que les Chevaliers Noirs étaient les ennemis du mal et de l'ignorante impiété et en particulier qu'ils avaient épousé, contre l'opposition royale, la cause de D'Augustin.

— C'est exact, parfaitement exact, dit Messire Gules dont les traits misérables se tordirent en un douloureux rictus d'impuissance. Je le croyais moi-même, jusqu'au jour tout récent où j'ai appris que notre Grand Maître Helvétius avait trépassé...

— D'un pouce d'acier au foie, interrompit Blackamoor.

— ... et que je devais désormais entière fidélité et obéissance au nouveau Grand Maître, car nous faisons serment d'allégeance à l'Office et non à l'homme.

— Et ce nouveau Grand Maître ? interrogea Marvin.

— Est votre serviteur ! s'écria Blackamoor, en brandissant sa main où Marvin aperçut le grand sceau de l'Ordre. Je suis seul Maître et seul arbitre de cet instrument qui dessert mes desseins vengeurs, et je n'obéis à nulle autre voix que celle qui est issue des noires crevasses de mon âme diabolique.

Il y avait à ce moment-là quelque chose de magnifique chez Blackamoor. Détestable et cruel, réactionnaire et imbu de lui-même comme il l'était, il réussissait cependant dans une certaine mesure à forcer le respect de Marvin.

— Et maintenant, reprit Blackamoor, les personnages

161

principaux sont en scène et il ne manque qu'un acteur pour compléter ce drame et le mener au dénouement. Depuis longtemps, patiemment, observant sans être observé, ce dernier personnage attend le moment de sortir de l'ombre pour jouir de son bref instant de gloire... Mais chut ! Le voilà !

Il y eut un lourd bruit de pas dans le corridor. Ceux qui étaient à l'intérieur de la chambre attendaient en retenant leur souffle, mal à l'aise. Lentement, la porte s'ouvrit...

Un homme masqué tout vêtu de noir apparut, portant sur son épaule une grande hache à double tranchant. Il resta hésitant sur le seuil, comme s'il n'était pas sûr de l'accueil qui allait lui être réservé.

— Je vous salue, bourreau, prononça Blackamoor. A présent plus rien ne manque et les derniers instants de cette farce peuvent être joués. Gardes, avancez !

Deux gardes se saisirent de Marvin et lui courbèrent la tête, exposant sa nuque.

— Bourreau ! s'écria Blackamoor. Fais ton office !

Le bourreau s'avança et essaya du doigt le fil de sa grande hache. Puis il l'éleva au-dessus de sa tête, la laissa en suspens un instant et commença à l'abaisser...

Cathy poussa un hurlement !

Elle se jeta sur le sinistre personnage masqué, le griffa au visage, déviant la lourde hache qui s'abattit sur le sol de granite en soulevant une gerbe d'étincelles. Le bourreau en colère voulut la repousser, mais elle avait refermé ses doigts sur la soie noire du masque.

Le bourreau poussa un rugissement de dépit lorsqu'il sentit son masque arraché. Précipitamment, il essaya de dissimuler ses traits, mais il était trop tard. Tous ceux qui étaient présents l'avaient vu clairement.

Marvin croyait à peine le témoignage de ses sens. Car sous le masque noir s'était caché un visage dont les traits lui semblaient étrangement familiers. Où avait-il déjà vu ces pommettes incurvées, ces yeux bruns légèrement inclinés, cette mâchoire saillante ?

Puis la mémoire lui revint. Il avait vu ce visage, jadis, dans un miroir.

Le bourreau avait son visage et marchait dans son corps...

— Ze Kraggash ! s'exclama Marvin.

— A votre service !

Et l'homme qui avait volé le corps de Marvin s'inclina ironiquement, et sourit à Marvin avec son propre visage.

30

Lord Blackamoor fut le premier à rompre le tableau. Avec des doigts habiles, il ôta son chapeau et sa perruque. Desserrant son col, il tâta le long de son cou et défit plusieurs fermetures invisibles. Puis d'un seul mouvement, il arracha le masque de peau qui recouvrait entièrement son visage.

— Le détective Urdorf ! s'écria Marvin.

— En personne, dit le détective martien. Je suis désolé d'avoir dû vous soumettre à cette petite épreuve, Marvin, mais c'était notre meilleure chance d'amener rapidement votre affaire à bon terme. Mes collègues et moi nous avons pensé...

— Collègues ? s'étonna Marvin.

— Excusez-moi, j'oubliais de faire les présentations, dit le détective Urdorf avec un sourire rusé. Marvin, permettez-moi de vous présenter le lieutenant Ourie et le sergent Fraff.

Les deux hommes qui s'étaient déguisés en Lord Inglenook et Messire Gules ôtèrent leur masque de peau et apparurent vêtus de l'uniforme de la Police Galactique

Interstellaire du Nord-Ouest. Ils sourirent avec bienveillance en serrant la main de Marvin.

— Ces messieurs, poursuivit Urdorf en désignant les gardes thuringiens, nous ont également apporté une aide appréciable.

Les gardes se débarrassèrent de leurs demi-cottes de peau et apparurent vêtus de l'uniforme orangé de la Police Routière de la Ville de Cassem.

Mais Marvin se tourna vers Cathy. Elle avait déjà épinglé à son corsage l'insigne rouge et bleu des agents spéciaux de l'Association de Vigilance Interplanétaire.

— Je... je commence à comprendre, dit Marvin.

— C'est extrêmement simple, expliqua le détective Urdorf. J'ai bénéficié pour mener mon enquête, comme d'habitude, de l'aide de diverses organisations de lutte contre le crime. A trois reprises différentes, nous avons été à deux doigts de capturer notre homme, mais il nous a toujours échappé. Cela aurait pu continuer ainsi indéfiniment si nous n'avions pensé à lui tendre ce piège. La théorie était élémentaire. Si Kraggash parvenait à vous détruire, il pouvait revendiquer votre corps sans craindre d'opposition. Tandis que tant que vous seriez vivant, vous chercheriez à le retrouver.

« Nous vous avons donc à votre insu attiré dans notre coup monté, dans l'espoir que Kraggash s'en apercevrait et tiendrait à participer lui-même à la conjuration pour avoir la certitude de vous détruire. Vous savez le reste. »

Se tournant vers le bourreau démasqué, le détective Urdorf demanda :

— Avez-vous quelque chose à ajouter, Kraggash ?

Le bandit qui avait les traits de Marvin était gracieusement appuyé au mur, les bras croisés et le corps au repos.

— J'aimerais formuler une remarque ou deux, dit-il. Premièrement, votre stratagème était d'une simplicité transparente. Dès le début, je me suis douté qu'il s'agissait d'un piège, et je ne me suis prêté à votre jeu que dans la mesure où il y avait peut-être une chance lointaine pour que ce n'en fût pas un. Je ne suis donc en aucune manière surpris par ce dénouement.

— Amusante tentative de rationalisation, commenta Urdorf.

Kraggash haussa les épaules :

— Deuxièmement, continua-t-il, je voulais vous dire que je n'éprouve pas la moindre contrition à l'égard de mon prétendu crime. J'estime que si un individu n'est pas capable de conserver par-devers lui le contrôle de son propre corps, alors il mérite de le perdre. Au cours d'une vie longue et mouvementée, j'ai souvent eu l'occasion de constater que les hommes sont prêts à donner leur corps à la première crapule qui en fait la demande, et à soumettre leur psyché à la première voix assez impérieuse pour les faire obéir. C'est pourquoi la grande majorité des hommes est incapable de conserver même son droit élémentaire à un corps et à une psyché, et préfère se défaire de ces embarrassants symboles de liberté.

— Vous faites là, lui dit le détective Urdorf, l'apologie classique du criminel.

— Ce que vous appelez un crime lorsque c'est un individu qui le fait, vous le nommez gouvernement lorsque plusieurs hommes le font. Pour ma part, je ne vois pas la distinction, et ne la voyant pas je refuse de m'y conformer.

— Nous pourrions discuter de cela à perte de vue, déclara le détective Urdorf, mais malheureusement je n'ai pas de temps à consacrer à de telles distractions. Vous essaierez vos arguments sur l'aumônier de votre prison, Kraggash. Je vous arrête pour Psychotroc illégal, tentative de meurtre et vol qualifié. Et ainsi je résous ma cent cinquante-neuvième affaire et romps ma série de malchance.

— Ah oui, vraiment ? dit froidement Kraggash. Vous aviez cru que ce serait aussi simple ? N'avez-vous pas songé que le renard pourrait avoir une autre tanière ?

— Emparez-vous de lui ! s'écria Urdorf. Les quatre

policiers s'avancèrent promptement vers Kraggash, mais le bandit leva la main et traça un cercle rapide dans l'air.

Le cercle s'enflamma !

Kraggash passa une jambe dans le cercle. La jambe disparut.

— Si vous voulez m'attraper, dit-il ironiquement, vous savez où venir me chercher.

Comme les policiers étaient sur lui, il pénétra dans le cercle et tout son corps disparut à l'exception de sa tête. Celle-ci fit un clin d'œil à Marvin avant de devenir invisible à son tour. Il ne restait plus rien que le cercle de feu.

— Qu'attendez-vous ! cria Marvin. Suivons-le !

Il se tourna vers Urdorf, et fut surpris de voir que le détective ployait les épaules et que son visage avait la pâleur de la défaite.

— C'est inutile, soupira Urdorf. Je croyais m'être préparé à toutes les ruses, mais celle-ci... Cet homme est fou, sans aucun doute.

— Qu'allons-nous faire ? hurla Marvin.

— Il n'y a rien à faire. Il est passé dans le Monde Biscornu, et ma cent cinquante-neuvième affaire est un échec.

— Mais nous pouvons le suivre ! s'écria Marvin en s'approchant du cercle de feu.

— Non ! Ne faites pas ça ! dit Urdorf. Vous ne comprenez pas... le Monde Biscornu signifie la mort, ou la folie, ou... les deux. Vous n'avez pratiquement aucune chance de vous en sortir...

— J'ai au moins autant de chances que Kraggash, cria Marvin en pénétrant dans le cercle.

— Mais attendez ! Vous ne comprenez pas ! Kraggash n'a aucune chance !

Marvin n'avait pas entendu ces dernières paroles, car il avait déjà inexorablement disparu de l'autre côté du cercle de flammes, dans les étranges régions inexplorées du Monde Biscornu.

31

QUELQUES INFORMATIONS
SUR LE MONDE BISCORNU

... ainsi, grâce aux équations de Hake-Riemann, la preuve mathématique était enfin apportée de la nécessité de l'existence de l'Aire Spatiale de Déformation Logique de Biscors, qui devait être connue sous le nom de Monde Biscornu bien qu'elle ne fût ni biscornue ni à proprement parler un monde et que, par une finale ironie, la troisième définition fondamentale de Biscors (selon laquelle l'Aire pouvait être considérée comme une région de l'univers qui servirait de contrepoids chaotique à la stabilité logique de la structure primaire de la réalité) dût être déclarée superflue.

> (Extrait de l'article sur le « Monde Biscornu » de l'ENCYCLOPEDIE GALACTIQUE DES CONNAISSANCES UNIVERSELLES, 483ᵉ édition.)

... pour cette raison que l'expression *déformation-miroir* nous semble exprimer la portée (à défaut du substrat) de notre pensée. Car comme nous venons de le voir, le Monde Biscornu [sic] a pour fonction, à la fois nécessaire et détestable, de rendre indéterminés toutes les entités et tous les processus, et par conséquent de faire de l'univers un tout pratiquement et théoriquement inéluctable.

> (Extrait de *Réflexions d'un mathématicien*, par Edgar Hope Grief, EUCLID CITY FREE PRESS.)

... cependant, nous avons cru utile d'annexer ci-dessous un certain nombre de règles empiriques à l'usage du voyageur suicidaire qui déciderait quand même de s'aventurer dans le Monde Biscornu :

Souvenez-vous que toutes les règles peuvent mentir, dans le Monde Biscornu, y compris celle-ci, qui souligne l'exception, et y compris la cause restrictive qui invalide cette exception... *ad infinitum*.

Mais souvenez-vous également qu'aucune règle ne ment nécessairement ; que n'importe quelle règle peut être vraie, y compris celle-ci et ses exceptions.

Dans le Monde Biscornu, le temps n'obéit pas nécessairement à vos préconceptions. Les événements peuvent évoluer rapidement (ce qui paraît souhaitable) ou lentement (ce qui est rassurant), ou même pas du tout (ce qui est détestable).

Il est tout à fait concevable que *rien* ne vous arrive dans le Monde Biscornu. Mais il serait aussi malavisé d'escompter une telle éventualité que de n'y être pas préparé.

Parmi les innombrables potentialités que vous réserve le Monde Biscornu, il y en a nécessairement une qui ressemblera exactement à votre Univers d'origine, de même qu'il y en a une qui lui ressemblera exactement à l'exception d'un détail, une autre de deux détails, et ainsi de suite. Et une autre encore sera complètement différente à l'exception d'un détail, etc.

Le problème sera toujours une question d'évaluation : essayer de savoir dans quel type d'univers vous vous trouvez avant que le Monde Biscornu ne vous l'apprenne à vos dépens.

Dans le Monde Biscornu comme dans n'importe quel autre, vous êtes susceptible de vous découvrir ; mais la seule différence est que cette découverte vous sera habituellement fatale dans le Monde Biscornu.

La familiarité est traumatisante — dans le Monde Biscornu.

Le Monde Biscornu peut être sommairement (mais à tort) considéré comme le monde inversé du Maya, ou illusion. Vous risquez de vous apercevoir que les formes qui vous entourent sont réelles tandis que Vous, la conscience examinatrice, représentez l'illusion. Une telle constatation, si elle est édifiante, n'en est pas moins extrêmement mortifiante.

Un sage demanda un jour : « Que se passerait-il si je pouvais entrer dans le Monde Biscornu sans idées préconçues ? » Il n'y a pas de réponse définitive à cette question, mais on nous permettra de suggérer qu'il aurait certainement quelques idées préconçues à sa sortie. L'absence d'opinion n'est pas une protection.

Certains hommes croient que le summum de l'intelligence est de découvrir que toutes les choses peuvent être inversées, et devenir ainsi leur propre contraire. Cette proposition peut donner lieu à beaucoup de jeux subtils, mais nous ne recommandons pas son emploi dans le Monde Biscornu. Là, toutes les doctrines sont également arbitraires, y compris la doctrine de l'arbitrarité des doctrines.

Ne vous attendez pas à jouer au plus fin avec le Monde Biscornu. Il est plus grand, plus petit, plus long et plus court que vous. Il ne cherche pas à prouver ; il est.

Quelque chose qui est n'a jamais besoin de prouver quoi que ce soit. Toute preuve est une tentative de devenir. Une preuve n'est valable que par rapport à elle-même, et n'implique rien d'autre que l'existence des preuves, ce qui ne prouve rien.

Tout ce qui *est* est improbable, car tout est extrinsèque, inutile, et porte atteinte à la raison.

Ces commentaires concernant le Monde Biscornu n'ont peut-être rien à voir avec le Monde Biscornu. Le voyageur aura été prévenu.

> (Extrait de *L'inexorabilité de la spéciosité,* par Ze Kraggash ; collection Marvin Flynn.)

32

La transition fut abrupte, et ne ressembla pas du tout à ce qu'avait escompté Marvin. Il avait entendu raconter pas mal de choses sur le Monde Biscornu, et s'était vaguement attendu à un endroit plein de formes mouvantes et de couleurs changeantes, de spectacles grotesques et merveilleux. Mais il comprit très vite que son point de vue était romantique et limité.

Il se trouvait dans une petite salle d'attente. L'air était moite et saturé d'odeur de transpiration. Il était assis sur un banc de bois en même temps que plusieurs douzaines d'autres personnes. Des fonctionnaires à l'air blasé circulaient de temps à autre, consultant des dossiers et appelant parfois un nom. Périodiquement, un nouvel arrivant venait s'asseoir à côté des autres ou bien l'un de ceux qui attendaient perdait patience et s'en allait.

Marvin attendait, observait, rêvait. Le temps passait lentement, la lumière de la pièce baissa peu à peu et quelqu'un alluma une ampoule qui pendait au plafond. Personne n'avait encore appelé son nom. Marvin jeta un coup d'œil à ses voisins de part et d'autre, par désœuvrement plutôt que par curiosité.

Celui qui était à sa gauche était grand et cadavéreux, avec un furoncle au cou à l'endroit où le col frottait. Celui de droite était petit et gros et asthmatique.

— Combien de temps pensez-vous que cela durera ? demanda Marvin à l'asthmatique, plus pour tuer le temps que pour se renseigner vraiment.

— De temps ? Combien de temps ? répondit l'asthmatique. Un sacré temps, vous pouvez en être sûr. Il ne faut surtout pas être pressé avec ces Messieurs du Service des Permis, même si vous ne leur demandez comme moi qu'une simple prorogation de votre permis de conduire.

Le cadavéreux se mit à rire : un bruit qui évoquait le raclement d'un bâton sur un bidon d'essence vide.

— Vous pouvez attendre fichtrement longtemps dans ce cas, dit-il. Car il se trouve que vous êtes assis dans le Département de la Santé, Section des Affaires Courantes.

Marvin cracha avec élaboration sur le sol poussiéreux et dit :

— Je regrette de vous informer, messieurs, que vous faites erreur tous les deux. Nous sommes dans le Département, dans l'*antichambre* du Département, pour être plus précis, des Pêches. Et si vous voulez mon avis, il est scandaleux qu'un citoyen qui paie ses impôts ne puisse aller pêcher dans un endroit entretenu grâce à l'argent des contribuables sans être obligé de perdre une demi-journée ou plus à solliciter un permis.

Les trois hommes se dévisagèrent. (Il n'y a point de héros dans le Monde Biscornu, pratiquement pas de promesses, quelques rarissimes points de vue et pas plus de conclusion que de beurre en branche.)

Ils se dévisagèrent sans trop d'animadversion cependant. Le cadavéreux se mit à saigner du bout des doigts. L'asthmatique et Marvin froncèrent légèrement les sourcils et firent comme s'ils n'avaient rien remarqué. Le cadavéreux glissa, en affectant une mine dégagée, sa main offensante dans une poche étanche. A ce moment-là un fonctionnaire se dirigea vers eux.

— Lequel d'entre vous s'appelle James Grinnell Starmacher ? demanda-t-il.

— C'est moi, dit Marvin. Et je vous signale que j'attends depuis un bout de temps et que je trouve déplorable la façon dont fonctionne ce service.

— Oui, c'est parce que nous n'avons pas encore reçu les machines, dit le fonctionnaire en jetant un coup d'œil à ses papiers. Vous avez fait une demande pour une dépouille ?

— C'est exact, dit Marvin.

— Et vous affirmez que ladite dépouille ne sera pas utilisée à des fins immorales ?

— Je l'affirme.

— Veuillez préciser la raison pour laquelle vous désirez acquérir cette dépouille.

— Je la destine à un usage purement décoratif.

— Vos qualifications ?

— J'ai étudié la décoration.

— Donnez le nom et/ou le numéro d'identification codé de la dernière dépouille acquise par vous.

— Cancrelat, numéro de couvée 3/32/A45345.

— Tué par ?

— Moi-même. J'ai un permis de mise à mort valable pour toutes les créatures qui n'appartiennent pas à ma sous-espèce, avec certaines exceptions telles que l'aigle royal et le dugong.

— Objet de la dernière mise à mort ?

— Pûrification rituelle.

— Votre requête est acceptée, dit le fonctionnaire. Choisissez votre dépouille.

L'asthmatique et le cadavéreux tournèrent en même temps vers lui des yeux mouillés d'espoir. Bien qu'il fût tenté, Marvin réussit à résister. Il se tourna vers le fonctionnaire et dit :

— Je vous choisis.

— Je prends note, dit le fonctionnaire en griffonnant dans ses papiers. Son visage se transforma en celui du pseudo-Flynn. Marvin emprunta une scie passe-partout au cadavéreux et, non sans quelque difficulté, coupa le bras droit du fonctionnaire. Celui-ci expira avec onction, et son visage reprit ses traits de fonctionnaire.

L'asthmatique éclata de rire devant la déconfiture de Marvin.

— Un peu de transsubstantialité ne fait de mal à personne, ironisa-t-il. Mais point trop n'en faut, hein ? Le désir modèle la chair, mais la mort est le sculpteur final.

Marvin était en train de pleurer. Le cadavéreux lui touchait le bras avec gentillesse.

— Ne prenez pas ça trop au tragique, mon garçon. La vengeance symbolique vaut mieux que pas de vengeance du tout. Votre plan n'était pas mauvais ; sa faille était extérieure à vous. Il se trouve que James Grinnell Starmacher c'est moi.

— Je suis un cadavre, dit la dépouille du fonctionnaire. La vengeance par transposition vaut mieux que pas de vengeance du tout.

— Je suis venu ici pour faire renouveler mon permis de conduire, dit l'asthmatique. Au diable votre philosophie, quand allez-vous vous occuper de moi ?

— Tout de suite, dit la dépouille du fonctionnaire. Mais dans mon état présent, je ne puis vous donner un permis que pour pêcher du poisson mort.

— Mort ou vivant, quelle différence cela fait-il ? demanda l'asthmatique. Du moment qu'on pêche, peu importe ce que l'on prend.

Il se tourna vers Marvin, peut-être pour solliciter une confirmation, mais Marvin n'était plus là. Il était parti et, après une transition peu convaincante, s'était retrouvé dans une vaste salle vide et carrée. Les murs étaient faits de plaques d'acier, et le plafond se trouvait à trente mètres au-dessus de sa tête. Il y avait là-haut des projecteurs, et une cabine de contrôle aux parois vitrées. A travers le verre l'observait Kraggash.

— Expérience 342, récita la voix métallique de Ze Kraggash. Sujet : La mort. Proposition : Un être humain peut-il être tué ? Remarque : Cette question concernant l'éventuelle mortalité de l'être humain a longtemps tenu en échec nos meilleurs penseurs. Il circule une quantité de légendes se rapportant à la mort, et des récits de personnes ayant vu des êtres humains *tués* nous sont parvenus à travers les âges. En outre, des dépouilles nous ont été apportées à plusieurs reprises, indubitablement mortes et présentées comme constituant les restes de personnes humaines. Toutefois, malgré l'ubiquité de ces dépouilles, aucun lien de causalité n'a jamais pu être établi pour prouver qu'elles étaient antérieurement vivantes, encore moins qu'elles appartenaient à des personnes. C'est pourquoi, dans le but de régler une fois pour toutes cette question, nous avons organisé l'expérience suivante. Phase numéro Un...

Une plaque murale en acier pivota sur ses gonds. Marvin se tourna juste à temps pour voir un javelot arriver sur lui en sifflant. Il fit un bond de côté, gêné par son pied malade, et évita l'impact.

D'autres plaques s'ouvrirent. Une pluie de flèches, poignards, massues, vola vers lui sous tous les angles.

Un gaz empoisonné se répandit autour de lui. Un enchevêtrement de cobras tomba à ses pieds. Un lion et un tank s'avancèrent vers lui. Une sarbacane cracha son dard. Des mitrailleuses crépitèrent. Un lance-flammes toussa. Un mortier hoqueta.

De l'eau inonda la salle, et le niveau monta rapidement. Des flammes de naphte se déversèrent du plafond.

Mais le feu brûla les lions, qui dévorèrent les serpents, qui obstruèrent les obusiers, qui broyèrent les javelots, qui bouchèrent l'orifice de gaz, qui évapora l'eau, qui éteignit le feu.

Marvin était toujours debout, miraculeusement indemne. Il secoua le poing en direction de Kraggash, glissa sur une plaque de métal, tomba et se rompit le cou.

On lui fit des obsèques nationales, avec tous les honneurs militaires. Sa femme se sacrifia sur son bûcher funéraire. Kraggash voulut l'imiter, mais on lui refusa cette consolation.

Marvin resta gisant dans sa tombe pendant trois jours et trois nuits, période durant laquelle son nez coula continuellement. Sa vie entière défila au ralenti devant ses yeux. Au bout de ce temps, il se leva et marcha.

Il y avait cinq objets, modérément mais indéniablement

doués de raison, dans un endroit sans qualités particulières. L'un de ces objets était, selon toute apparence, Marvin. Les quatre autres étaient des figures de fond, des stéréotypes rapidement esquissés dans le seul but d'étoffer la situation primaire. Le problème auquel les cinq faisaient face était : lequel était Marvin, et lesquels les quatre figurants ?

Tout d'abord il y avait une question de nomenclature. Trois d'entre eux exprimaient le désir d'être appelés Marvin tout de suite ; un quatrième voulait être appelé Edgar Floyd Morrison, et l'autre souhaitait être désigné comme « une figure de second plan sans importance ».

C'était très visiblement tendancieux, aussi ils se numérotèrent de un à quatre, le cinquième insistant obstinément pour être appelé Kelly.

— Très bien, messieurs dit le N° 1, qui avait déjà assumé un air important. Peut-être pourrions-nous cesser de parler pour ne rien dire et ouvrir la séance ?

— Ce n'est pas un accent juif qui risque de vous aider beaucoup, dit le N° 3 sombrement.

— Ecoutez, fit le N° 1. Qu'est-ce qu'un Polonais connaît en matière d'accent juif ? Et d'abord, je ne suis juif que du côté de mon père, et bien que j'estime...

— Où suis-je ? murmura le N° 2. Mon Dieu, que m'est-il arrivé ? Depuis que j'ai quitté Stanhope...

— La ferme, Rital, fit le N° 4.

— Ma zé né m'appelle pas Rital, zé m'appelle Luigi, répondit véhémentement le N° 2, et zé souis dans votre grande paese dépouis due anni, bien qué z'aie passé toute mon enfance dans mon pétite village dé San Minestrone della Zuppa, nicht wahr ?

— Ramène pas ta fraise, hé papa, dit le N° 3 sombrement. T'es pas un macaroni-rital ni rien du tout, t'es une figure de second plan à responsabilité provisoire et limitée ; alors ferme ta grande gueule avant que je m'en charge à ta place, nicht wahr ?

— Ecoutez, fit le N° 1. Je suis un homme simple qui

n'aime pas les complications, et si cela peut rendre service à quelqu'un je suis prêt à renoncer à mes droits à la Marvinité.

— Souvenir, souvenir, murmura le N° 2. Que m'est-il arrivé ? Quelles sont ces apparitions, ces ombres bavardes ?

— Non mais, s'exclama Kelly, ce n'est pas la grande forme, je vois !

— C'est ouné honte, murmura Luigi.

— L'invocation n'est pas la convocation, décréta le N° 3.

— Mais je ne me rappelle vraiment pas, fit le N° 2.

— Et alors ? Moi non plus, je ne me rappelle pas tellement bien, dit le N° 1. Mais est-ce que j'en fais tout un plat ? Je ne revendique même pas la qualité d'humain. Le simple fait de savoir réciter par cœur le Lévitique ne prouve rien.

— Et comment que ça ne prouve rien ! hurla Luigi. Et réfuter ne prouve pas non plus la moindre chose !

— Je croyais que vous étiez censé être italien, lui dit Kelly.

— Je le suis, mais j'ai grandi en Australie. C'est une assez curieuse histoire...

— Pas plus curieuse que la mienne, répliqua Kelly. L'Irlandais Noir, que vous m'appelez. Mais bien peu savent que j'ai passé les plus belles années de ma jeunesse dans un bordel de Hangchow et que je me suis engagé dans l'armée canadienne pour échapper aux persécutions des Français pour le rôle que j'ai joué en aidant les gaullistes en Mauritanie ; et c'est la raison pour laquelle...

— Zut alors ! s'écria le N° 4. Il m'est impossible de garder plus longtemps le silence. Mettre mon identité en doute est une chose ; dénigrer mon pays en est une autre !

— Votre indignation ne prouve rien ! s'écria le N° 3. Non pas que j'attache de l'importance à la chose, puisque je renonce à être Marvin.

— La résistance passive est une forme d'agression, affirma le N° 4.

— Un témoignage irrecevable est quand même une forme de témoignage, riposta le N° 3.

— Je ne sais pas de quoi vous parlez, déclara le N° 2.

— L'ignorance ne vous mènera à rien, persifla le N° 4. Je refuse catégoriquement d'être Marvin.

— Vous ne pouvez renoncer à ce que vous n'avez pas, ironisa Kelly.

— Je suis libre de renoncer à ce que je veux ! s'emporta le N° 4. Non seulement j'abandonne mes droits à la Marvinité, mais j'abdique la couronne d'Espagne, je cède la dictature de la Galaxie Centrale et je laisse tomber mon salut par le bâbisme.

— Ça va mieux à présent, mon garçon ? demanda sardoniquement Luigi.

— Oui... ça soulage. La simplification convient à ma nature complexe, répondit le N° 4. Lequel d'entre vous est Kelly ?

— C'est moi, dit Kelly.

— Vous rendez-vous compte, lui dit Luigi, que vous et moi sommes les seuls ici à avoir un nom ?

— C'est vrai, dit Kelly. Nous sommes différents.

— Hé, une seconde ! fit le N° 1.

— Allons, messieurs, on ferme !

— Ne coupez pas !

— Ne tirez pas !

— Tenez bon la rampe !

— Comme je le disais, reprit Luigi. Nous ! Vous et moi ! Les seuls Nommés de la Preuve Présomptive ! Kelly... vous pouvez être Marvin si je peux être Kraggash !

— Chiche ! rugit Kelly par-dessus les protestations des figures de fond.

Marvin et Kraggash s'adressèrent un sourire grimaçant dans l'euphorie momentanée de l'identité retrouvée. Puis ils se sautèrent à la gorge. La strangulation manuelle ne tarda pas à suivre. Les trois qui avaient des numéros, frustrés d'un privilège de naissance qu'ils n'avaient jamais possédé, assumèrent des poses conventionnelles d'ambiguïté stylisée. Les deux qui avaient des lettres, forts d'une identité dont ils s'étaient de toute façon emparés, s'acharnaient à s'entre-déchirer, se lançaient des arias à la tête et battaient en retraite devant d'irrésistibles récitatifs. Le Nº 1 les regarda jusqu'à ce qu'il en eût assez, puis se mit à jouer avec un fondu enchaîné.

Ce fut déterminant. Tout le plateau de prises de vues se mit à glisser, comme un porc à roulettes dévalant une pente de verre, en un peu plus rapide cependant.

Le jour suivit la nuit, qui suivit sa propre fantaisie.

Platon écrivit : « Y a pas qu'l'art qui compte, y a la manière aussi. » Puis, décidant que le monde n'était pas prêt à recevoir cette vérité, il l'effaça.

Hammourabi écrivit : « La vie non examinée ne vaut pas la peine d'être vécue. » Mais il n'était pas sûr que ce fût juste, aussi il ratura le tout.

Gautama Bouddha écrivit : « Les brahmanes sont des êtres puants. » Mais plus tard il révisa cela.

La nature a horreur du vide, et je n'aime pas tellement ça moi-même. Marvinissimo ! Le voilà qui s'avance à pas de loup, brandissant son identité dilatée. Tous les hommes sont mortels, nous dit-il, mais certains le sont plus que d'autres. Le voilà en train de s'amuser dans la cour à tirer de la boue des jugements de valeur. N'ayant aucun respect, il devient son propre père. La semaine dernière nous lui avons ôté sa Divinité ; nous l'avions surpris en train de traiter une vie sans licence.

(Mais je vous ai souvent mis en garde, mes amis, contre le Péril Protoplasmique. Il envahit les cieux, éteignant les étoiles. Sans nulle honte, il s'écoule sur tout, déracinant les planètes et étouffant les soleils. Avec une insistance déplorable, il répand ses abominations.)

Le revoilà, cet affreux jongleur, cet optimiste monstrueux au sourire rapetassé. Assassin, tue-toi ! Voleur, détrousse-toi ! Pêcheur, capture-toi ! Fermier, récolte-toi !

Et maintenant, nous allons écouter le rapport de notre Enquêteur spécial.

— Merci, hem. J'ai constaté que c'est Marvin qu'il vous faut lorsque le vôtre vous fait défaut ; que les étoiles du firmament brillent pour Marvin Flynn ; qu'il faut louer le Seigneur mais acheter le Marvin Flynn. Et j'ai également remarqué ceci : Chérie, puisque tu es debout, veux-tu me passer un Marvin Flynn. Marvin Flynn est meilleur et fait plus d'usage que les produits similaires qui se vendent plus cher. Promettez-lui n'importe quoi, mais donnez-lui Marvin Flynn. Vous trouverez un ami dans Marvin Flynn. Laissez votre Marvin Flynn faire le travail à votre place. Buvez Marvin — la boisson qui satisfait. Pourquoi ne pas aller prier ce soir au Marvin Flynn de votre choix ? Le Marvin Flynn fond dans la bouche et non pas dans la main.

... aux prises dans un combat titanesque qui dès l'instant qu'il existait était inévitable. Marvin frappe au sternum et redouble du droit à l'arcade sourcilière gauche. Kraggash se transforme aussitôt en Irlande, que Marvin envahit sous la forme d'une demi-légion de mercenaires danois, forçant Kraggash à un sacrifice du fou qui n'a aucune chance contre une quinte flush. Marvin attaque, manque, et dévaste l'Atlantide. Kraggash réplique d'un revers, et massacre un anophèle.

Le combat mortel se poursuit dans les marais fumants du miocène ; une colonie de termites pleure son roi tandis que la comète de Kraggash entre en collision avec le soleil de Marvin et se fragmente en une myriade de spores militantes. Mais Marvin sépare stoïquement le diamant du verre taillé, et Kraggash est repoussé à Gibraltar.

Le bastion tomba une nuit où Marvin kidnappa les

grands singes de Barbarie, et Kraggash s'enfuit à travers toute la Thrace méridionale avec son corps dans une valise. Il fut intercepté à la frontière de la Phtisie, pays que Marvin inventa non sans des conséquences importantes pour l'histoire de l'Europe.

Perdant ses forces, Kraggash devint mauvais, devenant mauvais, il perdit ses forces. En vain improvisa-t-il le culte du diable. Les adeptes de la marvinité s'inclinèrent non pas devant l'idole, mais plutôt devant le symbole. De mauvais, Kraggash devint intolérable : il avait les ongles sales, et des touffes de poils poussaient sur son âme.

Enfin Kraggash gisait impuissant, incarnation du mal, agrippant dans ses serres le corps de Marvin. Des exorcismes amenèrent son agonie finale. Une scie circulaire déguisée en moulin à prières le démembra, un gourdin travesti en encensoir l'assomma. Gentiment, le vieux Père Flynn prononça l'oraison funèbre : « Avec une croquette on ne mange pas de pain. » Et Kraggash fut descendu dans une tombe creusée dans du kraggash vivant. Des graffiti appropriés furent gravés sur sa pierre tombale, et des kraggash en fleur furent plantés autour de sa tombe.

C'est un endroit tranquille. A gauche se trouve un bosquet d'arbres à Kraggash ; à droite, une raffinerie de pétrole. Çà et là, une bouteille de bière vide ou un papillon de nuit. Et juste derrière, l'endroit où Marvin ouvrit la valise et sortit son corps tellement désiré.

Il l'épousseta soigneusement et le peigna. Il le moucha et lui rajusta sa cravate. Puis, solennellement, il le mit.

33

C'est ainsi que Marvin Flynn se retrouva sur la Terre à l'intérieur de son propre corps. Il se rendit dans son village natal de Stanhope, qu'il trouva inchangé. L'endroit était toujours géographiquement à moins de cinq cents kilomètres de New York, mais spirituellement et émotionnellement à plus d'un siècle de distance. Il y avait toujours les mêmes vergers, et les mêmes vallons verdoyants où paissaient les mêmes vaches brunes. La Grand-Rue bordée d'ormes était toujours là, et la nuit on entendait toujours l'occasionnelle plainte solitaire d'un avion à réaction.

Personne ne demanda à Marvin où il avait été. Pas même son meilleur ami, Billy Hake, qui supposait qu'il était allé faire un tour dans l'un des sites touristiques habituels comme le Sinkiang, ou la Forêt des Pluies d'Ituri.

Au début, Marvin trouva cette stabilité aussi déroutante que les métamorphoses de Psychotroc ou les énigmes changeantes du Monde Biscornu. La stabilité lui semblait exotique ; il s'attendait à tout moment à ce qu'elle disparaisse.

Mais les endroits comme Stanhope ne disparaissent pas, et les garçons comme Marvin finissent par perdre graduellement leur sens du merveilleux et des fins élevées.

Seul la nuit dans sa petite chambre mansardée, Marvin pensait souvent à sa Cathy. Il avait du mal à s'habituer à l'idée qu'elle était un agent spécial de l'Association de Vigilance Interplanétaire. Et pourtant, il y avait toujours eu un rien d'officiel dans ses manières, et un soupçon de rigueur justicière dans ses beaux yeux.

Il l'aimait et pleurerait toujours sa perte ; mais il était plus content de la pleurer que de la posséder. Et s'il faut dire la vérité, son regard avait déjà été capturé — ou recapturé — par Marsha Baker, la rougissante et séduisante fille d'Edwin Marsh Baker, le plus gros agent immobilier de Stanhope.

Même si ce n'était pas le meilleur des mondes possibles, Stanhope était le meilleur que Marvin eût connu. C'était un monde où l'on pouvait vivre sans que les choses vous sautent dessus inopinément. Un monde où la déformation métaphorique était chose inconnue ; une vache était une vache, et l'appeler autrement relevait de la licence poétique la plus indéfendable.

On n'est nulle part si bien que chez soi ; indubitablement, nul autant que Marvin n'était préparé à goûter cette vérité familiale dont les sentimentaux disent qu'elle est le comble de la sagesse humaine.

Son existence n'était troublée que par un ou deux petits doutes. Tout d'abord la question primordiale : Comment avait-il quitté le Monde Biscornu pour regagner la Terre ?

Il effectua des recherches considérables pour résoudre cette question, plus inquiétante qu'elle ne le semblait de prime abord. Il se rendait compte que rien n'est impossible dans le Monde Biscornu, et que rien n'est même improbable. La causalité existe dans le Monde Biscornu, mais la non-causalité existe aussi. Rien n'est obligatoire, et rien n'est nécessaire. Pour cette raison, il était tout à fait concevable que le Monde Biscornu l'eût renvoyé sur la Terre, prouvant ainsi son pouvoir en renonçant à exercer son pouvoir sur Marvin.

C'était effectivement ce qui semblait s'être produit. Mais il y avait une autre hypothèse, beaucoup moins plaisante.

Celle-ci est exprimée comme suit dans la Proposition de Doormhan : « Parmi les innombrables potentialités que vous réserve le Monde Biscornu, il y en a nécessairement une qui ressemblera exactement à votre Univers d'origine, de même qu'il y en a une qui lui ressemblera exactement à l'exception d'un détail, une autre de deux détails, et ainsi de suite. »

Ce qui signifie qu'il pouvait très bien se trouver encore dans le Monde Biscornu, et que cette Terre qu'il percevait pouvait n'être rien de plus qu'une émanation transitoire, un moment d'ordre éphémère au sein du chaos principal, destiné à se fondre d'un moment à l'autre dans l'absurdité fondamentale du Monde Biscornu.

En un sens, cela ne faisait aucune différence, car rien n'est permanent à part nos illusions. Mais personne n'aime voir ses illusions menacées, et Marvin voulait savoir où il en était.

Etait-il sur la Terre, ou sur une réplique de la Terre ?

Quelque détail n'était-il pas incompatible avec la Terre qu'il avait laissée ? Plusieurs détails, peut-être ? Pour apaiser ses doutes, il entreprit de faire des recherches systématiques. Il explora Stanhope et ses environs, examina et vérifia la faune et la flore.

Rien ne paraissait anormal. La vie continuait comme de coutume. Son père élevait son troupeau de rats, et sa mère continuait placidement à pondre.

Il voyagea en direction du nord vers Boston et New York, puis en direction du sud vers la vaste agglomération Philadelphie-Los Angeles. Tout paraissait en ordre. Il envisagea de traverser le continent en longeant le fleuve Delaware, puis de continuer ses recherches dans les villes californiennes de Schenectady, Milwaukee et Changhaï.

Cependant, il changea d'avis car il comprenait qu'il est ridicule de passer sa vie à essayer de découvrir si on a une vie à vivre.

Sans compter qu'il était également possible que, même si la Terre était changée, sa mémoire et ses perceptions eussent aussi changé, rendant toute découverte impossible.

Allongé sous le ciel verdâtre familier de Stanhope, Marvin examina cette possibilité. Elle paraissait improbable : car les chênes géants n'émigraient-ils pas toujours chaque année vers le sud ? Le soleil rouge ne parcourait-il pas le ciel, poursuivi par son compagnon noir ? Et les trois lunes ne revenaient-elles pas régulièrement chaque mois, accompagnées d'une nouvelle escorte de comètes ?

Tous ces spectacles familiers le rassuraient. Rien ne

semblait avoir changé. Et c'est ainsi que, de bonne grâce, Marvin accepta son monde pour ce qu'il semblait être, épousa Marsha Baker, et vécut heureux pour l'éternité.

SCIENCE-FICTION

Collection dirigée par Jacques Goimard

LE LIVRE D'OR
DE LA SCIENCE-FICTION

Le « livre d'or » présente le panorama complet de la science-fiction classique et moderne à travers les œuvres, les écoles et les genres qui ont marqué son évolution.

● Chaque volume est consacré à un auteur ou à un domaine particulier, dont il regroupe les nouvelles les plus fulgurantes, les plus illustres ou les plus significatives.

● Un grand nombre de textes présentés dans le « livre d'or » sont inédits en français.

● Chaque volume est en outre enrichi d'une préface, d'une étude bibliographique approfondie et de nombreuses notices demandées aux meilleurs spécialistes.

Le « livre d'or », c'est la « bibliothèque idéale » de l'amateur de science-fiction.

Déjà parus :

— Ursula LE GUIN
— Theodore STURGEON
— Frank HERBERT

A paraître :

— Norman SPINRAD

Achevé d'imprimer en février 1987
sur les presses de l'Imprimerie Bussière
à Saint-Amand (Cher)

— N° d'édit. 1330. — N° d'imp. 250. —
Dépôt légal : 2ᵉ trimestre 1978.

Imprimé en France